Islands · Islas

Islands · Islas

Nicholas D. Holmes · Olivier Langrand · Russell A. Mittermeier
Anthony B. Rylands · Thomas Brooks · Dena R. Spatz
James C. Russell · Wes Sechrest · Federico Méndez-Sánchez

Foreword **Sir Richard Branson**
Series Editor **Cristina Mittermeier**

Half-title page: • Portadilla:
Karst limestone walls, Raja Ampat Islands •
Paredes de piedra caliza kárstica, islas de Raja Ampat
New Guinea • Nueva Guinea

JÜRGEN FREUND

Page ii: • Página ii:
Aerial view of the Raja Ampat Islands, sand cays, and lagoons •
Vista aérea de las islas de Raja Ampat, cayos de arena y lagunas
New Guinea • Nueva Guinea

JÜRGEN FREUND

Previous pages: • Páginas anteriores:
Aerial view of Great Sea Reef surrounding Kia Island •
Vista aérea del Gran Arrecife Marino alrededor de la Isla Kia
Vanua Levu, Fiji • Vanua Levu, Fiyi

JÜRGEN FREUND

Tessellated pavement • Pavimento teselado
Tasmania • Tasmania

POPP-HACKNER PHOTOGRAPHY

Contents • *Contenido*

The Caribbean, Mediterranean and Atlantic Ocean •
El Caribe, Mediterráneo y Océano Atlántico

Polar Oceans• *Océano Polar*

Previous pages: • Páginas anteriores:
Conolophus subcristatus
Galápagos Land Iguana • Iguana Terrestre de las Galápagos
Santa Fe Island, Galápagos Islands, Ecuador •
Isla Santa Fé, Islas Galápagos, Ecuador

IÑAKI RELANZÓN

Aerial view of Chinchorro Reef • Vista aérea del Arrecife Chinchorro
Caribbean • Caribe

FULVIO ECCARDI

Chelonia mydas
Green Sea Turtle • Tortuga Marina Verde
Solomon Islands • Islas Salomón
ROBIN MOORE

A Message from CEMEX • Un Mensaje de CEMEX

Simply and aptly entitled, *Islands* celebrates our planet's more than 460,000 islands—which have long inspired human imagination. From islands as large as New Guinea to small, unnamed offshore rock stacks, they feature not only forested tropical paradises and coral atolls, but also offer majestic, desolate, and windswept mountains.

While they make up only five percent of the land on our planet, islands are home to an estimated 20 percent of all birds, reptiles and plants, and an extraordinary concentration of endemic species. Their isolation and the absence of competition have enabled founding species to evolve in diverse and astonishing ways, many on just a single island.

On a global scale, conservation has compelling reasons to focus on our earth's islands. In our modern age, islands have seen the highest numbers of extinctions. Today, they are home to almost 40 percent of all known critically endangered animals. Invasive species, habitat loss, and climate change are major threats to native island species—from Arctic and Sub-Antarctic islands, where climate change is melting sea ice and glaciers, to the islands of Melanesia, Wallacea, and Sundaland, where the sea level is rising rapidly.

Islands is the 26th edition of our combined CEMEX Nature and Conservation Book Series, and it will surely inspire our global audience and continue to create awareness of the importance of preserving our planet's diverse natural resources. Although there are many threats to native island species, this volume elegantly underscores how islands enjoy numerous examples of significant conservation successes.

We have published a new book every year since 1993, blending brilliant photography and informative text to enlighten our global audience and reinforce our commitment to promoting a culture of biodiversity conservation.

Con el simple y apto título *Islas*, este volumen celebra a las más de 460,000 islas de nuestro planeta que tanto han inspirado a la imaginación humana. Desde grandes islas como Nueva Guinea hasta pequeños islotes sin nombre, las islas albergan tanto paraísos tropicales y atolones coralinos, como majestuosas montañas, desoladas y azotadas por los vientos.

A pesar de que su extensión apenas alcanza el cinco por ciento de la superficie terrestre del planeta, las islas albergan alrededor del 20 por ciento de todas las aves, reptiles y plantas y una extraordinaria concentración de especies endémicas. El aislamiento y la ausencia de competencia han favorecido la evolución diversa y asombrosa de especies fundadoras —muchas de las cuales existen en tan solo una isla.

A nivel global, existen poderosas razones para que la conservación se enfoque en las islas. Durante la era moderna, es en las islas donde ha ocurrido el mayor número de extinciones. Hoy, las islas albergan casi el 40 por ciento de todos los animales en peligro crítico. Las mayores amenazas que enfrentan las especies insulares son las especies invasoras, la pérdida de hábitat y el cambio climático —desde las islas del Ártico a las del Sub-Antártico, donde el cambio climático derrite glaciares y casquetes polares, hasta las islas de la Melanesia, Wallacea y la región de la Sonda, donde el nivel del mar se eleva con rapidez.

En *Islas*, el vigésimo sexto tomo de nuestras Series de Libros de Conservación y de Naturaleza, buscamos inspirar a nuestra audiencia internacional y deseamos seguir generando conciencia sobre la importancia de la preservación de la diversidad natural de los recursos del planeta. Tal como se expresa elegantemente en el presente volumen, a pesar de las numerosas amenazas a las especies insulares, las islas gozan también de muchos ejemplos exitosos de conservación.

This year, we are proud to publish this book with our new lead partner, Island Conservation, together with Grupo de Ecología y Conservación de Islas, Global Wildlife Conservation, SeaLegacy, American Bird Conservancy and the International Union for the Conservation of Nature. Collectively, their work influences and inspires millions to protect our global environment.

Join us in the celebration of our world's islands and in our effort to create awareness of the importance of preserving our planet's natural diversity.

CEMEX

Cada año desde 1993 hemos publicado un nuevo libro en el que se combinan importantes y bellas imágenes con textos informativos para inspirar a nuestra audiencia global y reforzar nuestro compromiso con la promoción de una cultura para la conservación de la biodiversidad.

Este año nos enorgullece publicar este libro con un nuevo socio y líder en la conservación, Island Conservation, así como con Grupo de Ecología y Conservación de Islas, Global Wildlife Conservation, SeaLegacy, American Bird Conservancy y con la Unión Internacional para la Conservación de la Naturaleza. Su trabajo conjunto influencia e inspira a millones para la protección de nuestro medio ambiente global.

Acompáñenos en la celebración a nuestras islas y al esfuerzo que hacemos por crear conciencia sobre la importancia de la preservación de la diversidad natural de nuestro planeta.

CEMEX

Diphyllodes magnificus
Magnificent Bird of Paradise • Magnífica Ave del Paraíso
Enga Province, Papua New Guinea •
Provincia de Enga, Papúa Nueva Guinea

NICK GARBUTT

Ángel de la Guarda Island, Baja California, Mexico •
Isla Ángel de la Guarda, Baja California, México

CLAUDIO CONTRERAS KOOB

Page xx: • *Página xx:*
Lemur catta
Ring-tailed Lemur with pup • Lémur de Cola Anillada con cría
Berenty Reserve, Madagascar • Reserva de Berenty, Madagascar

FRANS LANTING / NATIONAL GEOGRAPHIC CREATIVE

Foreword • Prefacio

Sir Richard Branson

I've been fascinated with islands all my life and am now so immensely fortunate to be able to live on one, a 30-hectare island in the British Virgin Islands. This tiny Caribbean Island home is a vital refuge, a place to relax and share with friends and family, and has played a key role in my thinking big—dreaming of spaceflight on a starry night or making Necker carbon-neutral to showcase what can be scaled in the rest of the world.

Despite the many species at risk, Islands are where we have seen the most conservation success stories. Species once lost being rediscovered and protected, and even recolonizing restored islands. Islands give us hope that we can take these success stories to scale. On Necker, we have reintroduced species once lost, like flamingos, Scarlet Ibis, White Ibis, Giant Tortoises and even the spectacular Anegada Rock Iguana, one of the most threatened of all the Caribbean's giant iguanas. It's wonderful to see the elegant splashes of colour as the flamingos and ibis fly from pond to pond.

Fascinated with another, albeit considerably larger, island—Madagascar—I have set up captive colonies on Necker for some of the more endangered lemurs that we have taken from zoos where they weren't breeding well but have had great success on Necker Island rebuilding their numbers. I was fortunate to visit that extraordinarily unique African island with Russ Mittermeier back in 2012 but was saddened to see how severely threatened it is.

It gives me enormous pleasure to celebrate islands, which are so close to my heart. Congratulations to CEMEX and to the authors for producing this landmark volume, highlighting the remarkable beauty, biodiversity, and cultural richness of the world's islands.

Las islas me han fascinado toda mi vida, y hoy tengo la inmensa fortuna de vivir en Necker, una de las Islas Vírgenes Británicas. Esta pequeña isla, mi hogar en el Caribe es un refugio vital, un lugar de solaz que comparto con amigos y familia, y un sitio que ha jugado un papel clave en mi forma de pensar de manera visionaria — es ahí donde en noches estrelladas, sueño con vuelos espaciales, o en como lograr la neutralidad de carbono en Necker, para que sirva como ejemplo de lo que puede lograrse en el resto del mundo.

No obstante la gran cantidad de especies que se encuentran en peligro, el sitio donde se ha logrado la mayor conservación, es en las islas. Especies que se creían perdidas han sido redescubiertas e incluso han recolonizado islas restauradas. Las islas nos brindan la esperanza de lograr multiplicar estas historias. En Necker hemos reintroducido especies que se creían perdidas, como los Flamencos, la Garza Blanca, la Tortuga Gigante e incluso la espectacular Iguana de Anegada, una de las iguanas caribeñas en mayor riesgo. Es maravilloso avistar los brillantes colores de flamencos y garzas cuando vuelan de estanque a estanque.

Mi fascinación por otra isla considerablemente más grande —Madagascar—, me ha inspirado a crear en Necker colonias cautivas de algunos de los lémures más amenazados. Hemos tomado animales de zoológicos en donde no se reproducían bien, y que en la Isla Necker han tenido excelentes resultados recuperando su población. En 2012, tuve la fortuna de visitar esa extraordinaria isla africana con Russ Mittermeier y me resultó muy triste observar el severo peligro en el que se encuentra.

Es un enorme placer participar en este homenaje a las islas. Enhorabuena a CEMEX y a los autores por este destacado volumen en el que se subraya la notable belleza, biodiversidad y riqueza cultural de las islas del mundo.

Previous pages: • *Páginas anteriores:*
Aerial View of Rain Forest Canopy • Vista Aérea del Bosque Lluvioso
Bioko Island, Equatorial Guinea • Isla Bioko, Guinea Ecuatorial
TIM LAMAN / NATIONAL GEOGRAPHIC CREATIVE

Cistanthe guadalupensis
Succulent • Suculenta
Guadalupe Island, Mexican Pacific, Mexico •
Isla Guadalupe, Pacífico mexicano, México
CLAUDIO CONTRERAS KOOB

Following pages: • *Páginas siguientes:*
Acrantophis dumerili
Dumeril's Boa • Boa de Dumeril
Berenty Reserve, Madagascar • Reserva de Berenty, Madagascar
NICK GARBUTT

Introduction • Introducción

Nicholas D. Holmes, Olivier Langrand, Russell A. Mittermeier, Anthony B. Rylands, Thomas Brooks, Dena R. Spatz, James C. Russell, Wes Sechrest, Federico Méndez-Sánchez, Michael J. Parr, Daniel Simberloff, Don Church, Bernie R. Tershy, Claudio Uribe, and Jenny C. Daltry

Islands have long inspired human imagination. They evoke images of far-flung landscapes and vast isolation. On a geologic timescale, islands are dynamic and ever-changing. New landmasses violently rise from the sea through volcanic action, while coral atolls are whittled away by the relentless wind and waves. Islands can be mere specks of land and rock stacks, home to only a few plants and animals, or large complex landscapes with diverse habitats and climates, such as Madagascar or New Guinea. Islands can be found at all latitudes, from polar to tropical, and are the evolutionary engines for much of our planet's unique flora and fauna. Here in these isolated environments, bizarre and wonderful traits have arisen—gigantism in the now-extinct Moa (*Dinornis robustus*) of New Zealand, the absence of a rattle in the Santa Catalina Island Rattlesnake (*Crotalus catalinensis*), and flightlessness in Galapagos Cormorants (*Phalacrocorax harrisi*). The arrival of ancestor species to islands has given rise to incredible examples of adaptive radiation, like the honeycreepers of Hawai'i and the Anolis lizards of the Caribbean, evolving to take advantage of open environmental niches. Islands are home to remarkable species occurring nowhere else on our planet, including the lemurs of Madagascar, and the

---

West Coast close to Greymouth, New Zealand •
Costa Oeste, cerca de Greymouth, Nueva Zelanda

POPP-HACKNER PHOTOGRAPHY

Following pages: • *Páginas siguientes:*
Kilauea Volcano, Hawai'i • Volcán Kilauea, Hawái

DOUG PERRINE

Las islas han inspirado la imaginación desde hace cientos de años. Evocan remotos paisajes y un gran aislamiento. En una escala de tiempo geológica, las islas son dinámicas y no paran de cambiar. Nuevas masas de tierra surgen violentamente del mar por la actividad volcánica, mientras que atolones coralinos se desgastan lentamente por el implacable efecto del viento y las olas. Las islas pueden ser pequeñas manchas de tierra y rocas apiladas que dan hogar a unas cuantas plantas y animales, o extensos y complejos hábitats y climas diversos como Madagascar o Nueva Guinea. Podemos encontrar islas en todas las latitudes, desde el polo hasta el trópico y son los motores de la evolución de mucha de la flora y la fauna única de nuestro planeta. Es aquí, en estos ambientes aislados, donde se han generado características únicas y bizarras como la incapacidad de volar de los Cormoranes de Galápagos (*Phalacrocorax harrisi*), el gigantismo del extinto Moa Gigante (*Dinornis robustus*) de Nueva Zelanda, la ausencia de cascabel de la Serpiente de Cascabel de la Isla Catalina (*Crotalus catalinensis*), o el enanismo del Perezoso Pigmeo de tres dedos (*Bradypus pygmaeus*) en Isla Escudo de Veraguas, en Panamá. La llegada de especies ancestrales a las islas dio origen a increíbles ejemplos de radiación adaptativa, como la de los mieleros de Hawái y las lagartijas Anolis del Caribe que evolucionaron para aprovechar los nuevos nichos ecológicos. Comparadas con los continentes, las islas albergan la tasa más alta de endemismo por área unitaria de nuestro planeta y son hogar de especies que no surgirían en ningún otro lugar, como el Lémur de Madagascar, los Kiwis de Nueva Zelanda, o ciertas especies de *Rafflesia* de Sumatra y Borneo, entre las cuales se encuentra la flor más grande del mundo.

Las islas han sido fundamentales para el avance humano y el desarrollo científico. Alrededor de 3,300 a 3,500 años atrás, viajeros de la

Rafflesia plants from Sumatra and Borneo, with the largest flower in the world.

Islands are central to human discovery and scientific advancement. Approximately 3,300-3,500 years ago, Lapita voyagers from Melanesia began developing sailing techniques that allowed the colonization of distant islands across the Pacific. This resulted in the discovery of the widely dispersed archipelagos of Polynesia, including Hawai'i and New Zealand, some 700–1,100 years ago. Today, the Hōkūle'a, a replica of the twin-hulled Polynesian canoe, is used to demonstrate ancient wayfaring techniques, including navigation by stars and ocean currents. The Age of Exploration that began in the 15th century saw European nations expanding colonial powers, looking for new trading routes and partners. These explorations brought many islands into the realm of western culture, permanently changing the trajectory of these environments. During this time, islands contributed to expanding global knowledge, the astronomical observations of the transit of planets by Captain Cook, for example, and the botanical collections by scientists like Joseph Banks and Daniel Solander. Charles Darwin catalogued and compared species from the Galapagos Islands during the voyage of the Beagle (1831–1836) which, with the observations of Alfred Russel Wallace in the Malay Archipelago (1854–1862), led to the conception of the theory of evolution by natural selection. Scientific advancement through the study of islands continues in our modern age. The theory of island biogeography, proposed in the 1960s by Robert MacArthur and Edward O. Wilson, was inspired by Wilson's studies of ants in Melanesia and predicted the species diversity of islands

Previous pages: • *Páginas anteriores:*
Tropidolaemus subannulatus
Bornean Keeled Green Pit Viper • Tropidolaemus de Isla Negros
Bako National Park, Sarawak, Borneo • Parque Nacional de Bako, Sarawak, Borneo

JÜRGEN FREUND

Nepenthes madagascariensis
Madagascar Pitcher Plants • Plantas de Jarra de Madagascar
Madagascar • Madagascar

NICK GARBUTT

cultura Lapita de Melanesia desarrollaron técnicas de navegación que les permitieron colonizar las remotas islas del Pacífico. Esto dio como resultado el descubrimiento de los dispersos archipiélagos de la Polinesia, Hawái y Nueva Zelanda hace alrededor de 700 a 1,100 años. Actualmente, una réplica de la canoa polinesia de doble casco, la Hōkūle`a, se utiliza para demostrar las antiguas técnicas expedicionarias que incluían la navegación astronómica y el uso de corrientes. La Era de las Exploraciones que se inició en el Siglo XV vio a las naciones europeas expandir su poder colonial, encontrando nuevas rutas de intercambio y nuevos aliados. Estas exploraciones reposicionaron a las islas en la cultura occidental, cambiando permanentemente el curso de sus ecosistemas. Durante esta época, las islas contribuyeron a la expansión del conocimiento global. Ejemplo de ello fueron las observaciones del Capitán Cook sobre el tránsito planetario y las extensas colecciones botánicas de científicos como Joseph Banks y Daniel Solander. Charles Darwin catalogó y comparó las especies de las Islas Galápagos durante la expedición en el Beagle (1831–1836), que junto con las observaciones de Alfred Russel Wallace en el Archipiélago Malayo (1854–1862) derivaron en la concepción de la teoría de la evolución por la selección natural. El avance científico a través del estudio de las islas persiste hasta nuestros días. La Teoría Biogeográfica de Islas propuesta por Robert H. MacArthur y Edward O. Wilson en 1960 se inspiró en los estudios de Wilson sobre las hormigas de la Melanesia, logrando predecir la biodiversidad de especies basándose en la extensión territorial y en el aislamiento de las islas. Las islas también han inspirado historias sobre el espíritu aventurero y de supervivencia de los humanos, como lo fue la travesía que Ernest Shackleton llevó a cabo a través de la dorsal montañosa de Georgia del Sur en 1916, para poder transmitir el mensaje de auxilio y salvar a su tripulación atrapada en la Antártica; o la historia de Robinson Crusoe, inspirada en el naufragio de Alexander Selkirk en el archipiélago chileno Juan Fernández (1704-1709).

¿Qué es una isla?

Puesto llanamente, una isla es un cuerpo de tierra rodeado por agua, siendo Groenlandia la más grande de éstas. Más allá de esta simple definición, las islas son un maravilloso conjunto de formas y tamaños, distribuidas en todos los océanos, con profundas variaciones en latitud, elevación y clima que dan como resultado diversas y espectaculares

based on area and isolation. Islands have also inspired stories of human adventure and survival, be it Ernest Shackleton crossing the mountainous backbone of South Georgia in 1916 to relay the message of rescue for his crew trapped in Antarctica, or Daniel Defoe's Robinson Crusoe, inspired by the castaway Alexander Selkirk on the Juan Fernández Islands of Chile (1704–1709).

What is an Island?

Put simply, an island is a body of land surrounded by water, the largest of which is Greenland. Islands of all shapes and sizes are distributed in every ocean, with wide variation in elevation and climate resulting in diverse and spectacular floras and faunas. Geologically, there are two broad categories. Oceanic islands such as the Hawaiian Islands and the Galapagos arose within the boundaries of tectonic plates and have no historical connection to continents. Continental islands such as New Guinea, Borneo, and Sri Lanka were previously connected to continents and are often critical refugia for remnant species at risk.

How many islands are there? The United Nations Environment Program – World Conservation Monitoring Center developed a Global Island Database, collating information on all islands in one consistent format (UNEP-WCMC, 2015). The most recent version, completed in 2015, identified nearly half a million unique terrestrial bodies classified as islands ranging in size from tiny offshore rock stacks and coral reef islets to the largest islands of Greenland and New Guinea. Their size distribution is strongly skewed, with 80 percent of global island area represented by approximately 40 islands. Further, islands are unevenly distributed around the globe, with two-thirds of those greater than one square kilometer being found in the tropics (Weigelt *et al.*, 2013).

Biodiversity on Islands

Islands total only a small fraction of our planet's land area yet host extraordinary concentrations of unique species. Islands represent approximately 5.3 percent of global land area (Tershy *et al.*, 2015), and while in general they host fewer overall species for their size, they host much higher numbers of unique species per unit area than continents (Whittaker and Fernández-Palacios, 2007). Comparing the numbers of endemic species, Keir *et al.* (2009) estimated that endemic plant and vertebrate richness on islands was 9.5 and 8.1 times, respectively, higher

comunidades de flora y fauna. Geológicamente existen dos grandes categorías de islas. Las islas oceánicas como Hawái, Galápagos y las Azores que surgieron dentro de los límites de las placas tectónicas y que no tienen conexión histórica con los continentes, y que son cuna de gran parte de la fauna más distintiva de nuestro planeta. Y, en contraste, las islas continentales como Nueva Guinea, Borneo, Sri Lanka y las Malvinas/Falkland que son fragmentos alguna vez conectados a los continentes y que perdieron sus puentes de tierra, a menudo refugios críticos de especies en riesgo que luchan por sobrevivir.

¿Cuántas islas hay? El Centro Mundial de Monitoreo para la Conservación (WCMC) del Programa de Naciones Unidas para el Medio Ambiente (UNEP) ha desarrollado la Base de Datos Global sobre Islas, el esfuerzo más grande para compilar información de las islas del mundo en un formato consistente (UNEP-WCMC, 2015). En la más reciente versión, terminada en 2015, geógrafos del UNEP-WCMC utilizaron programación computacional para distinguir los contornos de las islas a partir imágenes satelitales. El resultado fue la identificación de cerca de medio millón de cuerpos terrestres únicos clasificados como islas, cuyas superficies varían en tamaño desde una fracción de hectárea para islotes y arrecifes, hasta las islas más grandes como Groenlandia y Nueva Guinea. La dispersión del tamaño de las islas está fuertemente sesgada, con 40 islas representando el 80 por ciento del área insular global. Además, las islas no están distribuidas equitativamente alrededor del planeta, pues en los trópicos se encuentran dos terceras partes de las islas de más de un kilómetro cuadrado de área (Weigelt *et al.*, 2013).

Biodiversidad en islas

Las islas suman apenas una pequeña fracción de la superficie terrestre del planeta, pero albergan extraordinarias concentraciones de espe-

than on continental areas. Of the more than 10,000 birds described, 17 percent occur only on islands (Newton, 2003). Using estimated numbers of higher plants from just twenty island archipelagos, Whittaker and Fernández-Palacios (2007) found that 13–17 percent of plant species around the world are endemic to islands. Counting the number of snails from archipelagos with sufficient data, Whittaker and Fernández-Palacios (2007) also estimated that only eight hold approximately 7.7–9.0 percent of the world's land snail species. Islands are also allied with immense marine diversity. Coral reefs are among the world's most diverse ecosystems and are strongly associated with islands, particularly in the Indo-Pacific region. The Coral Triangle—including the Solomon Islands, Papua New Guinea, Indonesia, Timor-Leste, and the Philippines—is home to 76 percent of the world's 798 reef-building coral species (of which 553 were recorded in the Raja Ampat Archipelago alone) and 37 percent of the world's coral reef fishes (Hoegh-Guldberg *et al.*, 2009).

Many island areas are biodiversity hotspots. Biodiversity hotspots are regions with at least 1,500 species of endemic vascular plants (about 0.5 percent of the global total) but which have lost at least 70 percent of their primary vegetation (Myers, 1988; Mittermeier *et al.*, 1999). The identification of these hotspots has been of enormous significance in setting global conservation priorities. Not surprisingly, hotspots are found mainly in the tropics, where year-round warm temperatures promote high productivity (Kricher, 2011). Thirty-six hotspots have been identified, with 10 centered exclusively on islands and an additional 12 encompassing both islands and continents (Mittermeier and Rylands, 2017). As examples, Sundaland, which includes the islands of Borneo, Java, and Sumatra, is home to 15,000 endemic

cies. Si bien las islas representan alrededor del 5.3 por ciento de la superficie terrestre (Tershy *et al.*, 2015) y en general despliegan menor variedad de especies por su reducida extensión, las islas acogen a una mayor concentración de especies únicas por unidad de superficie que los continentes (Whittaker y Fernández-Palacios 2007). Comparando los números de especies endémicas en continentes y en islas con su superficie territorial, Keir *et al.* (2009) estimaron que la riqueza de plantas y vertebrados endémicos era respectivamente 9.5 y 8.1 veces mayor en islas que en los continentes. De las más de 10,000 especies de aves registradas, el 17 por ciento se presenta solamente en islas (Newton, 2003). Utilizando estimaciones de plantas superiores de tan solo veinte archipiélagos, Whittaker y Fernández-Palacios (2007) encontraron que entre 13 y 17 por ciento de las especies de plantas del mundo son endémicas de islas. Contando el número de especies de caracoles en los archipiélagos de los que existen datos suficientes, Whittaker y Fernández Palacios (2007) estimaron también, que tan solo ocho archipiélagos en el planeta alojan aproximadamente 7.7–9 por ciento de las especies de caracol terrestre del mundo. Los arrecifes de coral están entre los ecosistemas más diversos y están fuertemente asociados a las islas, particularmente en la región del Indo-Pacífico. La región del Triángulo de Coral —incluyendo las Islas Salomón, Papúa Nueva Guinea, Indonesia, Timor Oriental y las Filipinas— son el hogar del 76 por ciento de las 798 especies de arrecife coralino (553 especies registradas tan solo en el Archipiélago Raja-Ampat), y 37 por ciento de las especies de peces de arrecife del mundo (Hoegh-Guldberg *et al.*, 2009).

Muchas de las islas del mundo son hotspots de biodiversidad. Los hotspots de biodiversidad son una importante clasificación del sistema para la planeación global de la conservación (Meyers, 1988). Son áreas con al menos 1,500 especies de plantas vasculares endémicas (alrededor del 0.5 por ciento del total global) pero que han perdido al menos 70 por ciento de su vegetación primaria (Mittermeier *et al.*, 1999; Myers *et al.*, 2000). No es de extrañar que estos hotspots se encuentren principalmente en los trópicos, donde las temperaturas cálidas durante todo el año favorecen la alta productividad (Kricher, 2011). Se han identificado un total de 36 hotspots alrededor del mundo, 10 exclusivamente en islas y 12 más que comprenden tanto islas como áreas continentales (Mittermeier y Rylands, 2018). Un buen ejemplo es la Región de la Sonda que comprende Borneo, Java y Sumatra,

plants (among the highest numbers for any hotspot) and more than 170 endemic mammals, and the Caribbean Islands host the most endemic reptiles (468 species).

Endemism is a major feature of island biogeography. Many island species are found only on one island or island group and are thus considered endemic to that location. High numbers of endemic species are particularly evident on tropical oceanic archipelagos that arose from the sea, making many of these islands biodiversity hotspots. Endemism on these remote oceanic islands results from the evolutionary adaptation of founding populations of ancestral species that arrive from continental environments (Whittaker and Fernández-Palacios, 2007), either by wing, wind, or water—birds and bats fly, reptiles travel on rafts or swim, insects are carried by wind currents, and seeds are carried as flotsam. Island features such as remoteness, size, topography, and climate all influence how frequently and easily any ancestral species can disperse to the island and become established. Once established, however, these founders kickstart new evolutionary lineages, with new species evolving to take advantage of island habitats. Birds are among the best dispersers—for many species, oceans present no barrier. The arrival of 23 distinct landbird lineages in the Hawaiian Archipelago gave rise to the more than 110 species known today (Pratt, 2009). Of these, the establishment of a cardueline finch gave rise to nearly half of all the Hawaiian landbirds, the Hawaiian honeycreepers, with more than 50 species, each with a different bill morphology and tongue shape to exploit diverse food sources—seeds, fruit, insects, and nectar. These birds, many now sadly endangered or already extinct, provide an astonishing narrative of evolution on islands (Pratt, 2009).

Previous pages: • *Páginas anteriores:*
Clarión Island, Revillagigedo Archipelago •
Isla Clarión, Archipiélago de Revillagigedo

CLAUDIO CONTRERAS KOOB

Thalassarche chrysostoma
Gray-headed Albatross • Albatros de Cabeza Gris
South Georgia Island, British Overseas Territory •
Isla Georgia del Sur, Territorio Británico de Ultramar

FRANS LANTING / NATIONAL GEOGRAPHIC CREATIVE

hogar de 15,000 plantas endémicas (de las más numerosas entre los hotspots) y más de 170 mamíferos endémicos. Las islas del Caribe, albergan a la mayoría de los reptiles endémicos los hotspots (468 especies).

El endemismo es un rasgo sobresaliente de la biogeografía insular. Muchas especies insulares se encuentran únicamente en una isla o grupo de islas, por lo que son consideradas endémicas a estos sitios. Altos números de especies endémicas son especialmente evidentes en los archipiélagos oceánicos tropicales que emergieron del mar, lo que convierte a muchas de estas islas en hotspots de biodiversidad, ya sea volando, en el aire, o por agua —las aves y los murciélagos vuelan, los reptiles viajan en balsas o nadan, los insectos son llevados por los corrientes del viento y las semillas como restos flotantes. Los atributos característicos de las islas como el aislamiento, tamaño, topografía y el clima son factores que influencian la frecuencia y facilidad con que las especies ancestrales se pueden dispersar y establecerse en la isla. Una vez establecidos, estos fundadores activan nuevos linajes evolutivos y muchas especies evolucionan para aprovechar los recursos del hábitat insular. Las aves están entre los mejores propagadores —para muchas especies los océanos no representan un obstáculo. La llegada de 23 linajes distintos de aves al Archipiélago de Hawái dio lugar a las más de 110 especies conocidas hasta hoy (Pratt, 2009). De éstas, el establecimiento de una bandada de pinzones carduelinos, dio origen a casi la mitad del total de las aves terrestres de Hawái: el mielero hawaiano que tiene más de 50 especies, cada una con diferente morfología de pico y lengua, evolucionó para aprovechar diferentes fuentes de alimento —semillas, frutas, insectos y néctar. Estas aves, muchas de las cuales tristemente se encuentran en peligro o están ya extintas, nos dan uno de los mejores ejemplos de radiación adaptativa que existe en el planeta (Pratt, 2009).

Las islas también son hogar de un endemismo excepcional en plantas. Madagascar es la cuarta isla más grande del mundo y la mayor de las islas oceánicas. Alberga tantas como 15,000 especies de plantas vasculares nativas, 85 por ciento de las cuales son endémicas (Mittermeier *et al.,* 2004). Madagascar acoge 17 géneros endémicos y 188 especies de palmas endémicas —tres veces el total de las que tiene África continental (Dransfield y Rakotoarinivo, 2011)— y más de 1,000 orquídeas (Kew Royal Botanical Gardens, 2017). Incluso las más

Elephas maximus
Asian Elephant, an invasive herbivore in the
Andaman Islands that negatively impacts forest regeneration •
Elefante Asiático, una especie herbívora invasora en las
Islas Andamán que afecta negativamente la regeneración del bosque
Andaman Island • Isla Andamán

JODY MACDONALD / NATIONAL GEOGRAPHIC CREATIVE

Islands are also home to exceptional endemism in plants. Madagascar is the fourth-largest island and the largest of the oceanic islands. It is home to as many as 15,000 native species of vascular plants, 85 percent of them endemic (Mittermeier *et al.*, 2004), including 17 endemic genera and 188 endemic species of palms—three times as many as continental Africa (Dransfield and Rakotoarinivo, 2011)—and more than 1,000 orchids (Kew Royal Botanical Gardens, 2017). Yet even tiny islands can produce brilliant displays of floral endemism. The Juan Fernández Archipelago, 670 kilometers east of South America and barely 100 square kilometers, has 200-plus native plant species, approximately 63 percent of which are endemic, including 12 genera and one entire family (Marticorena *et al.*, 1998), one of the highest known rates of plant endemism per unit area (Caujape-Castells *et al.*, 2010). Several archipelagos show evidence of small numbers of ancestral plant species providing a foundation for larger radiations of new species. In Hawai'i, approximately 1,700 species of native plants descended from 300 different ancestors (Olson, 2004). The species of the Silversword Alliance of Hawai'i belong to the sunflower family, and the 30-plus species all evolved from a single ancestor, a relative of the tarweed that grows on the west coast of North America. They now display a wide variety of shapes, from cushion plants, to shrubs and lianas, to trees (Keeley and Funk, 2011).

Islands are a vital interface between the marine and terrestrial world. Straddling the equator are coral atolls, rings of coral reef, and low-lying islands with vegetation (called "motus") that surround lagoons. The largest atolls encompass almost 40,000 square kilometers, and lagoon depths can reach 100 meters (Winterer, 2009). Coral atolls are unique island systems that support an incredible array of marine diversity and are home to many threatened and unique birds, including, for example, the last remaining species of non-migratory sandpiper, the Tuamotu Sandpiper (*Prosobonia parvirostris*) (Pierce and Blanvillain,

---

Phoebetria fusca
Light Mantled Sooty Albatross •
Albatros Ahumado
Gold Harbour, South Georgia • Puerto de Oro, Georgia del Sur
PAUL NICKLEN / NATIONAL GEOGRAPHIC CREATIVE

pequeñas islas pueden hacer gala de brillante endemismo floral. A 670 kilómetros al este de Sudamérica y con apenas 100 kilómetros cuadrados, el Archipiélago Juan Fernández cuenta con más de 200 especies de plantas nativas, un 63 por ciento de ellas endémicas, incluyendo 12 géneros y una familia completa (Marticorena *et al.*, 1998). Resultando en una de las tasas de concentración de endemismo floral más alto por área unitaria (Caujape-Castells *et al.*, 2010). Varios archipiélagos muestran evidencia de un pequeño número de especies de plantas ancestrales que sirvieron de base para que mayores radiaciones de nuevas especies pudieran evolucionar. En Hawái cerca de 1,700 especies de plantas nativas descienden de tan solo 300 ancestros diferentes (Olson, 2004). La especie hawaiana de Espadines Plateados pertenecientes a la familia de los girasoles son más de 30 especies que evolucionaron de un ancestro único, un pariente de la Madia moderna que crece en la costa oeste de América del Norte, y que actualmente despliegan una amplia variedad de formas, desde plantas pulviniformes, hasta arbustos o lianas e incluso árboles (Keeley y Funk, 2011).

Las islas son una interfaz vital entre el mundo marino y el terrestre. En torno al ecuador, en los reinos tropicales se presentan atolones coralinos, anillos de arrecife e islas de baja altitud con vegetación que circunda las lagunas (llamadas "motus"). Los atolones más grandes comprenden casi 40,000 kilómetros cuadrados y la profundidad de las lagunas puede alcanzar los 100 metros (Winterer, 2009). Los atolones de coral son sistemas insulares únicos que presentan un sorprendente agregado de diversidad marina y dan hogar a una gran cantidad de especies de aves únicas y amenazadas, incluyendo a la última especie de andarríos no-migratorio, el Andarríos de Tuamotu (*Prosobonia parvirostris*), o Titi, como lo llaman en la Polinesia Francesa (Pierce y Blanvillain, 2005). En el Atolón de Palmyra, en el Pacífico tropical, una fascinante cadena ecológica se ha desarrollado entre la tierra y el mar con aves marinas que anidan en los árboles nativos, que a su vez depositan guano rico en nitrógeno en los suelos bajo los árboles, mismo que es arrastrado hacia el mar por las aguas costeras beneficiando la productividad de la comunidad de zooplancton, que a su vez favorece a las mantarrayas de la zona (McCauley *et al.*, 2012).

Las islas son sinónimo de aves marinas. Las 346 especies de aves marinas identificadas (Croxall, *et al.*, 2012) —albatros y petreles, frailecillos y pingüinos, gaviotas y charranes, piqueros y fragatas— son

2004). On Palmyra Atoll in the tropical Pacific, there is a fascinating ecological chain between land and sea. Seabirds nesting in native trees deposit nitrogen-rich guano below, which is then washed into near-shore waters to support a productive zooplankton community favored by manta rays (McCauley *et al.*, 2012).

Islands are synonymous with seabirds. The 346 seabird species (Croxall *et al.*, 2012)—albatrosses and petrels, puffins and penguins, gulls and terns, boobies and frigatebirds—are ambassadors of the marine and terrestrial worlds, living two lives: one on land and one at sea. The behavior and morphology of seabirds are adapted for exploiting marine resources, and the islands provide the safe habitat needed to breed and raise young. The sleek torpedo-shape of the penguin is highly efficient for a predator that flies underwater, but leads to an ungainly waddle on land. Albatross species have the longest wingspan of any bird, enabling them to efficiently glide around the world's oceans for months on end in search of squid and fish. Grey-headed Albatrosses (*Thalassarche chrysostoma*) nest on Southern Ocean islands such as Macquarie and South Georgia, yet when at sea, they regularly circle the globe. At higher latitudes, many seabirds are considered "engineers" of island ecosystems, bringing marine nutrients from the ocean to islands in amounts so large they modify the soil and plant communities (Mulder *et al.*, 2011).

Evolution on islands has led to unique ecological outcomes. Many insular species have evolved in the absence of competition, predation, and herbivory. Dwarfism and gigantism are characteristics of many island species. Referred to as the "island rule," there is a tendency for large species to become smaller and small species to become larger (Whittaker and Fernández-Palacios, 2007). Examples of both occur on Madagascar. The now-extinct Elephant Bird (*Aepyornis maximus*) stood three meters tall and weighed up to 500 kg, and there were at least eight genera of giant lemurs, including *Archaeoindris*, at about 200 kg close to the size of a male gorilla. This, alongside some of the smallest reptiles in the world, including a chameleon (*Brookesia micra*) smaller than 30 millimeters in length (Glaw *et al.*, 2012; Mittermeier *et al.*, 2010). Many birds have lost their ability to fly in evolving to exploit new foods and habitats. The now-extinct, fruit-eating Dodo (*Raphus cucullatus*), endemic to Mauritius and a relative of pigeons and doves, is one them. New Zealand has many flightless birds, including several

embajadores de los mundos marino y terrestre, que viven dos vidas: una en tierra y otra en el mar. El comportamiento y la morfología de las aves marinas se han adaptado para el aprovechamiento de los recursos marinos y las islas proveen el hábitat seguro necesario para el apareamiento y crianza de su descendencia. Por ejemplo, la estilizada forma de torpedo del pingüino es altamente eficiente para un depredador que vuela bajo el agua, pero es también motivo de su torpe movimiento en tierra. El albatros posee la mayor envergadura de alas entre las aves permitiéndole sobrevolar eficientemente los océanos de todo el mundo durante meses, buscando grupos de peces y calamares. Especies como el Albatros de Cabeza Gris (*Thalassarche chrysostoma*) anidan en las islas del Océano Austral, como las Macquarie y las Georgias del Sur, aunque cuando sobrevuelan el mar regularmente circundan el globo. En las latitudes más altas, muchas aves son consideradas verdaderos "ingenieros" de los ecosistemas insulares trayendo nutrientes marinos altamente productivos del océano a las islas en cantidades tan grandes que llegan a modificar la tierra local y las comunidades de plantas (Mulder *et al.*, 2011).

La evolución en las islas ha conducido a resultados ecológicos únicos. Muchas especies insulares han evolucionado sin competencia, depredación o herbivoría. El enanismo y el gigantismo son característicos en muchas especies de las islas. La tendencia de las especies grandes a convertirse en más chicas y de las pequeñas a tornarse más grandes es conocida por los biólogos como la 'Regla de la Isla' (Whittaker y Fernández-Palacios, 2007). Ejemplos de los dos casos tienen lugar en Madagascar. El hoy extinto Pájaro Elefante de Madagascar (*Aepyornis maximus*) que se calcula medía tres metros de altura y pesaba 500 kg, así como los ocho géneros y 17 especies de lémures gigantes, todos extintos en la actualidad, junto con algunos de los reptiles más pequeños del mundo como el camaleón (*Brookesia micra*) que mide menos de 30 milímetros de longitud (Glaw *et al.*, 2012; Mittermeier *et al.*, 2010). Para muchas aves, la pérdida de su capacidad de

---

Aerial view of a coral atoll • Vista aérea de un atolón de coral
Maupiti, Society Islands, French Polynesia •
Maupiti, Islas de la Sociedad, Polinesia Francesa
JON CORNFORTH

Calumma crypticum
Blue-legged Chameleon • Camaleón Pata-azul
Ranomafana National Park, Madagascar •
Parque Nacional de Ranomafana, Madagascar

NICK GARBUTT

volar evolucionó del aprovechamiento de nuevos alimentos y hábitats. El más famoso de ellos es el frugívoro Dodo (*Raphus cucullatus*) ahora extinto, endémico de Mauricio y pariente de los pichones y palomas. Nueva Zelanda acoge a muchas aves no-voladoras, entre ellas varias especies de kiwi, el ejemplar más pequeño de las rátidas —un grupo de aves que incluye a avestruces y emúes— que poseen un sentido del olfato muy desarrollado para poder detectar presas, un rasgo poco común entre las aves.

En distintas islas alrededor del mundo, la vida silvestre ha fascinado a los visitantes ya que muchas especies no temen acercarse a ellos, siendo uno de los mejores ejemplos Las Islas Galápagos. Los animales insulares tienden a ser ingenuos ante la introducción de nuevas especies debido a la ausencia de depredadores mamíferos terrestres (Whittaker y Fernández-Palacios, 2007). Los cenzontles de Galápagos y de la Isla Socorro por ejemplo, son sumamente mansos en comparación con sus contrapartes continentales. De igual forma, en ausencia de herbívoros muchas especies de la flora insular han perdido sus defensas físicas y químicas utilizadas para repeler animales forrajeros. En Hawái, las frambuesas ya no tienen espinas y las ortigas perdieron sus pelos urticantes. La ausencia de herbiovoría elimina la presión selectiva para esta clase de defensas (Olson, 2004).

Amenazas a las islas

Las islas han sido epicentros de extinción. Fueron estos rasgos evolutivos de las especies insulares los que generaron su elevada vulnerabilidad al primer contacto con los humanos, que finalmente fueron la causa de la extinción de muchas de ellas. El endemismo y la falta de contacto con depredadores o con herbívoros significó para muchas especies insulares su rápida desaparición, víctimas de la mortal combinación de cacería, depredación y enfermedades. Los asentamientos polinesios en las Islas del Pacífico, siglos antes de la llegada de los europeos, coinciden con la desaparición de cientos de especies de gallinetas (*Rallidae*). Las gallinetas son pájaros de tamaño pequeño y

San Benedicto Island, Revillagigedo Archipelago •
Isla San Benedicto, Archipiélago de Revillagigedo
CLAUDIO CONTRERAS KOOB

species of kiwi. Kiwis are the smallest of the ratites—a group that includes emus and ostriches—and have a highly developed sense of smell to detect prey, a rare trait among birds.

Visitors to many islands around the world are enchanted by the wildlife because the species show no apparent fear. Island animals tend to be naïve in the face of novel introductions of other species, including humans, because they often evolved in the absence of native terrestrial mammalian predators (Whittaker and Fernández-Palacios, 2007). The mockingbirds of the Galápagos and Socorro Island, for example, are quite tame in contrast to their continental counterparts. Likewise, in the absence of herbivory, many island plant species have lost the physical and chemical defenses used to repel grazing animals. In Hawai'i, raspberries no longer have spikes, and nettles have lost their sting. The lack of herbivory removes the selection pressure for such defenses (Olson, 2004).

Threats to Islands

Islands have been epicenters for extinctions. It was these evolved traits of island species that led to high vulnerability upon first contact with humans, and ultimately the extinction of many species. Lacking experience with predators or herbivores, and many species being endemic to only one location, meant that island species quickly fell victim to a deadly combination of hunting, predation, and disease. The settlement of the Pacific Islands by Polynesians, centuries before Europeans entered the Pacific, coincides with the disappearance of hundreds of species of rails (Rallidae). Rails are small to medium-sized birds that are largely ground-dwelling and highly vulnerable to hunting and predation by the Pacific Rat (*Rattus exulans*) that accompanied the Polynesians in their canoes. One study has estimated that approximately two thousand rail species went extinct during this period (Steadman, 1995). Humans arrived in Madagascar about 2,000

Argema mittrei
Comet Moth • Mariposa Cometa de Madagascar
Andasibe-Mantadia National Park, Madagascar •
Parque Nacional de Andasibe-Mantadia, Madagascar
NICK GARBUTT

mediano que habitan en el suelo y que son altamente vulnerables a la cacería y a la depredación por la Rata del Pacífico (*Rattus exulans*) que acompañó a los polinesios en sus canoas. Un estudio estima que en esa época se extinguieron alrededor de dos mil especies de gallinetas (Steadman, 1995). Los humanos llegaron a Madagascar hace cerca de 2,000 años, y las extinciones que sabemos sucedieron hace entre 1,500 y 500 años incluyen una extraordinaria gama de 48 especies extintas de grandes mamíferos, aves y reptiles. Entre ellos, enormes cocodrilos y tortugas, ocho especies de pájaros elefante, dos águilas gigantes, hipopótamos enanos y 17 especies de lémures que eran mucho más grandes que los que conocemos en la actualidad, uno, el Archaeoindris de casi 200 kg de peso, era semejante en tamaño a un gorila macho actual (Goodman y Jungers, 2014).

Las extinciones insulares no son cosa del pasado distante. Desde el inicio de las exploraciones europeas en el Siglo XV, se han extinguido por lo menos 275 vertebrados. Cincuenta y cuatro por ciento de los anfibios, el 81 por ciento de los reptiles, el 95 por ciento de las aves y 54 por ciento de los mamíferos extintos a partir de 1500, eran animales insulares (Tershy *et al.*, 2015). Estas extinciones a menudo coinciden con el primer contacto con los colonizadores europeos y los grandes cambios introducidos por ellos, incluyendo modificaciones a los hábitats causados por los asentamientos, la cacería de especies nativas para alimentación y la introducción intencional y no intencional de especies invasoras como ratas, gatos, ratones, conejos, comadrejas, cerdos y cabras. La misma tendencia de perturbación biogeográfica es evidente y muestra mayores tasas de extinción en islas que en continentes (Manne *et al.*, 1999; Ricketts *et al.*, 2005; Tershy *et al.*, 2015). En México —uno de los países con mayor megadiversidad—, 21 de las 24 extinciones confirmadas de vertebrados han sido de habitantes insulares (Aguirre-Muñoz *et al.*, 2011). Incluso entre los invertebrados, cuyas extinciones sin duda han pasado inadvertidas en muchas ocasiones, de las 378 extinciones conocidas, 69 por ciento de los moluscos (calamares, caracoles y bivalvos) y 55 por ciento de los artrópodos (insectos, arañas y crustáceos) han sido especies insulares (Tershy *et al.*, 2015). La extinción del Solitario de Rodrígues (*Pezophaps solitaria*) y de la Iguana Rinoceronte de Navassa (*Cyclura onchiopsis*) son dos ejemplos de extinciones recientes causadas por humanos (IUCN, 2016). En 2004, los últimos Po'ouli conocidos—un pájaro terrestre exclusivo del bosque

Loggers clear-cutting • Leñadores, tala en rasa
Eastern Madagascar • Este de Madagascar

years ago and known extinctions from 1,500 to 500 years ago include an extraordinary array of 48 species of large mammals, birds and reptiles, among them enormous crocodiles and tortoises, elephant birds, giant eagles, dwarf hippopotami, and giant lemurs (Goodman and Jungers, 2014).

Island extinctions are not a thing of the distant past. Since the beginning of European exploration in the 15th century, there have been at least 275 vertebrate extinctions. Fifty-four percent of amphibians, 81 percent of reptiles, 95 percent of birds, and 54 percent of mammals that have gone extinct since 1500 were island dwellers (Tershy et al., 2015). These extinctions often coincide with the first contact with European colonizers and the many changes they brought with them—modifying the island habitats for settlement, hunting native species for food, and introducing, intentionally or unintentionally, invasive species such as cats, rats, mice, rabbits, stoats, pigs, and goats. The same disturbing biogeographic trend is evident with higher rates of extinction on islands than on continents (Ricketts et al., 2005; Tershy et al., 2015). In Mexico—one of the world's megadiverse countries—21 of the 24 confirmed vertebrate extinctions have been of island dwellers (Aguirre-Muñoz et al., 2011). Even among invertebrates, for which undoubtedly many extinctions have gone unnoticed, of 378 known extinctions, 69 percent of mollusks (including squids, snails, and bivalves), and 55 percent of arthropods (including insects, spiders, and crustaceans) have been island species (Tershy et al., 2015). The extinction of the Rodrigues Solitaire (*Pezophaps solitaria*) and the Navassa Rhinoceros Iguana (*Cyclura onchiopsis*) are two examples of recent human-induced extinctions (IUCN, 2016). In 2004, the last known individuals of the Po'ouli—a landbird known only from the high-elevation rainforests of Maui and one of the fifty Hawaiian honeycreepers—disappeared despite actions at the eleventh hour by conservation biologists. Habitat degradation by feral pigs (*Sus scrofa*), introduced mosquito-borne avian malaria (a novel and often fatal disease among endemic Hawaiian forest birds), and predation by invasive mammals contributed to this tragic outcome (VanderWerf et al., 2006). In 2012, the Christmas Island Pipistrelle (*Pipistrellus murrayi*) was declared extinct. This small bat underwent a rapid decline from 1994–2005, but conservation action was too late, and the last echolocation call was detected on August 26, 2009 (Martin et al., 2012).

lluvioso elevado de Maui, y uno de los cincuenta mieleros hawaianos— desaparecieron, a pesar de las acciones de última hora llevadas a cabo por biólogos conservacionistas. La degradación del hábitat causada por el cerdo feral (*Sus scrofa*); la malaria aviar transmitida por mosquitos que trajeron las aves introducidas (una enfermedad reciente y a menudo fatal entre las aves endémicas del bosque hawaiano), y la devastación causada por mamíferos introducidos, contribuyeron a este trágico desenlace (VanderWerf et al., 2006). En 2012 el Murciélago de la Isla Navidad (*Pipistrellus murrayi*), un pequeño murciélago ubicado solo en Isla Navidad en el Océano Indico, fue declarado extinto. Esto debido a una rápida caída detectada entre 1994 y 2005 para la cual las acciones de conservación llegaron demasiado tarde. La última ecolocalización fue detectada el 26 de agosto de 2009 (Martin et al., 2012).

Las islas proporcionan refugio crítico a especies altamente amenazadas. La Lista Roja de Especies Amenazadas de la UICN ofrece un sistema de puntuación global de la conservación de las especies, identificando y ordenándolas por su nivel de riesgo de extinción. Un estudio reciente de 2,919 especies de vertebrados terrestres clasificados como altamente amenazados (en Peligro Crítico o en Peligro, las categorías de riesgo más altas) encontró que 1,189 (41 por ciento) de estas especies se reproducen en las islas, subrayando la mayor proporción de especies insulares amenazadas relativa a su extensión territorial si se compara con los continentes (Spatz et al., 2017). Estas 1,189 especies insulares altamente amenazadas comprenden 319 anfibios, 282 reptiles, 296 pájaros y 292 mamíferos que se reproducen en tan solo 1,288 islas. Estas islas, representan solamente el 0.3 por ciento del total de islas del mundo, pero abarcan el 61 por ciento del total de la superficie insular, lo que significa que estas especies se concentran en algunas de las islas más extensas, particularmente Madagascar, Cuba y Sri Lanka. Las especies más gravemente amenazadas se encuentran en los trópicos —más del 80 por ciento de todos los anfibios, reptiles y mamíferos insulares. No es el caso de las aves insulares amenazadas

---

Cyclura cornuta
Rhinoceros Iguana • Iguana Rinoceronte
Cabritos Island, Dominican Republic • Isla Cabritos, República Dominicana
TOMMY HALL / ISLAND CONSERVATION

Islands provide critical refuges for highly-threatened species. The IUCN Red List of Threatened Species provides the global score-card for species conservation, identifying, and ranking species on their risk of extinction. A study of 2,919 terrestrial vertebrate species classified as highly threatened (Critically Endangered or Endangered, the highest risk categories) found that 1,189 (41 percent) breed on islands, highlighting the higher proportion of threatened island species compared to continents when considering land area (Spatz *et al.*, 2017). These highly-threatened island species included 319 amphibians, 282 reptiles, 296 birds, and 292 mammals, breeding on just 1,288 islands. These represent just 0.3 percent of islands worldwide, but 61 percent of island land area, meaning these species are concentrated on some of the largest islands, particularly Madagascar, Cuba, and Sri Lanka. Most of the highly-threatened island species occur in the tropics—more than 80 percent of all threatened island-dwelling amphibians, reptiles, and mammals. Highly-threatened island birds, however, are more equally distributed, with 49 percent in the tropics and 46 percent in temperate regions. Endemism features highly amongst all groups of highly-threatened vertebrates, with 70 percent of species restricted to single islands.

Each of these highly-threatened species has an important story. The Critically Endangered Polynesian Ground-dove (*Alopecoenas erythropterus*) was once distributed across more than 25 islands and atolls in Polynesia, but is now restricted to just five atolls with a total population of no more than 150, a consequence of non-native rat predation. In the Galápagos Islands, the Endangered Floreana Mockingbird (*Mimus trifasciatus*) was extirpated from the main island of Floreana because of habitat destruction by goats and predation by introduced cats and rats. It survives only on the islets of Champion (10 hectares) and Gardner-by-Floreana (80 hectares), where the total population is less than 200 (BirdLife International, 2018; Threatened Island Biodiversity Partners, 2014).

Cryptoprocta ferox
Fossa • Fosa
Madagascar • Madagascar
NICK GARBUTT

que están distribuidas más homogéneamente, con un 49 por ciento en los trópicos y 46 por ciento en las regiones templadas. El endemismo es un rasgo significativo de todos los grupos de vertebrados amenazados, con un 70 por ciento de las especies restringidas restringidas a una única isla. Estas especies incluyen a la Paloma Perdiz de Tuamoto (*Alopecoenas erythropterus*), conocida por los locales como Tutururu, en Peligro Crítico y que llegó a ocupar más de 25 islas y atolones de la Polinesia. Se encuentra actualmente solo en cinco atolones, con una población total menor a 150 individuos debido a su depredación por una rata invasora. En las Islas Galápagos, el Cucuve de Floreana (*Mimus trifasciatus*) en Peligro, fue extirpado de la isla mayor de Floreana debido la destrucción de su hábitat por las cabras y a su depredación por ratas y gatos introducidos. Sobrevive aislada en los islotes de Champion (10 hectáreas) y Gardner-por-Floreana (80 hectáreas) en donde su población total no excede los 200 individuos (BirdLife International, 2018; Threatened Island Biodiversity Partners, 2014).

Las especies invasoras y la pérdida del hábitat son amenazas clave para las especies insulares. Las especies exóticas invasoras y la destrucción de los hábitats han sido al día de hoy, los principales causantes de la pérdida de especies en las islas (Tershy *et al.*, 2015). Los mamíferos invasores han tenido un impacto especialmente devastador al depredar especies nativas o por contribuir a la pérdida de los hábitats (Hilton y Cuthbert, 2010). Las ratas, polizontes comunes en las embarcaciones, han invadido alrededor del 80 por ciento de los grupos de islas del mundo (Atkinson, 1985). Doherty *et al.* (2016) identificaron que los mamíferos invasores depredadores han contribuido con el 58 por ciento de las extinciones de 142 especies de aves, mamíferos y reptiles en islas y continentes, y continúan amenazando a otras 596 especies consideradas en Peligro por la Lista Roja de la UICN, especialmente para aquellas que se encuentran en islas. En Isla Gough en el Océano Atlántico, Isla Marion en el Océano Índico y en el atolón Midway en el Pacífico, el mamífero invasor más pequeño, el ratón común (*Mus musculus*) caza y devasta las aves marinas más grandes, los albatros (Hilton y Cuthbert, 2010). Los ratones atacan implacablemente tanto a los polluelos de albatros que aún no pueden volar como a los adultos que permanecen en sus nidos durante la incubación. El desgaste de las heridas, incluida la excavación en su piel, eventualmente los lleva a la muerte. Los efectos directos de la depredación junto con

Invasive species and habitat loss are key threats to species on islands. Invasive alien species and habitat destruction have been the two primary drivers of species loss on islands (Tershy *et al.*, 2015). Invasive mammals have had particularly devastating impacts by preying upon native species or contributing to habitat loss (Hilton and Cuthbert, 2010). Rats are common hitchhikers on vessels and have invaded about 80 percent of the world's island groups (Atkinson, 1985). Doherty *et al.* (2016) identified invasive predatory mammals like these as contributing to 58 percent of 142 bird, mammal, and reptile extinctions on islands and mainlands globally, and they continue to endanger 596 species ranked as threatened on the IUCN Red List, especially the island species. On Gough Island in the Atlantic Ocean, Marion Island in the Indian Ocean, and Midway Atoll in the Pacific, the smallest invasive mammal, the House Mouse (*Mus musculus*), preys upon and kills the largest of seabirds, the albatrosses (Hilton and Cuthbert, 2010). Albatross chicks that cannot yet fly, as well as incubating adults that sit tight on their nests, are attacked relentlessly by mice. The attrition of wounds, including tunneling into the flesh, can be fatal. Such direct effects of predation, along with habitat loss brought about by voracious introduced herbivores like goats and rabbits, can affect ecological functions on islands (Aslan *et al.*, 2012). Animal extinctions can also have domino effects on plants dependent on animals for reproduction. The extinction of the Mauritius Giant Tortoise (*Cylindraspis triserrata*) left endemic plants reliant on germination via digestion by these tortoises without the ability to reproduce (Hansen and Galetti, 2009; Temple, 1977).

Climate change will become an increasingly critical threat to islands and island species. Climate change is expected to have far-reaching impacts on native species and to accelerate a sixth mass extinction (Bellard *et al.*, 2012). Sea-level rise is one of the best understood and most certain consequences of climate change, putting low-lying islands and atolls and the habitats they provide for plants and animals at risk of permanent inundation. Climate change will also affect islands through changes in rainfall, temperature, and winds, and the frequency of storm events (IPCC, 2014). In Hawai'i, major climate changes are expected to include sea-level rise and higher temperatures thereby reducing the available habitat for many native species, a decrease in rainfall (affecting freshwater supply), and an increase in

la pérdida del hábitat causado por la voracidad de herbívoros introducidos como cabras y conejos, puede afectar las funciones ecológicas de las islas (Aslan *et al.*, 2012). La extinción de animales también puede tener un efecto dominó en plantas que dependen de ellos para su reproducción. En Mauricio, la extinción de la Tortuga Gigante (*Cylindraspis triserrata*) ocasionó que plantas endémicas que dependían de la germinación vía la digestión de la tortuga, no pudiesen reproducirse (Hansen y Galleti, 2009; Temple, 1977).

El cambio climático será un peligro crítico cada vez mayor para las islas y las especies insulares. Se espera que el cambio climático tenga un impacto trascendental en las especies nativas y que también acelere la sexta extinción masiva (Bellard *et al.*, 2012). El incremento del nivel del mar es una de las consecuencias más ciertas y mejor comprendidas del calentamiento global, que pone en peligro permanente de inundación a las plantas y animales que habitan las islas bajas y los atolones. Se espera también que el cambio climático afecte a las islas a través del cambio del régimen de lluvias, temperatura, corrientes de viento y frecuencia de los eventos de tormenta (IPCC, 2014). En Hawái se esperan los mayores cambios en la elevación del nivel del mar y mayores temperaturas (por lo tanto, la reducción de la disponibilidad de hábitat para muchas especies nativas), así como una menor precipitación que afectará disponibilidad de agua dulce, y el incremento de la temperatura oceánica y la acidez de sus aguas, que impactará a las especies marinas y a todo cuanto depende de ellas (Leong *et al.*, 2014). Para las especies endémicas insulares a varias islas o estrictas, los rasgos que han resultado en una vulnerabilidad mayor a nuevas amenazas —dispersión y población limitada, así como baja variabilidad genética (Tershy *et al.*, 2015)— también incrementarán su vulnerabilidad ante efectos del cambio climático (Caujape-Castells *et al.*, 2010). Un ejemplo alarmante de lo que sucederá como resultado de estos cambios es el pequeño roedor Melomys Bramble Cay (*Melomys rubicola*), declarado extinto en 2014. Este pequeño roedor era conocido sólo en un cayo coralino de baja elevación en el extremo norte de la Gran Barrera de Arrecife, entre Nueva Guinea y Australia y su desaparición se atribuye a las extremas marejadas de tormenta asociadas con el cambio climático (Woinarski *et al.*, 2015).

La diversidad cultural de las islas también está en riesgo. Paralelamente al declive y a la extinción de especies insulares, la diversidad

ocean temperature and acidity (impacting marine species and those dependent on them) (Leong *et al.*, 2014). For endemic or unique island species, the traits that have resulted in increased vulnerability to other threats—smaller ranges and population sizes and lower genetic diversity (Tershy *et al.*, 2015)—will also contribute to vulnerability to impacts from climate change (Caujape-Castells *et al.*, 2010). A disturbing example is the Bramble Cay Melomys (*Melomys rubicola*), declared extinct in 2014. This small rodent was known only from a low elevation coral cay between New Guinea and Australia, and its disappearance has been attributed to extreme storm surges associated with climate change (Woinarski *et al.*, 2015).

Island cultural diversity is also threatened. In parallel with island species extinctions and declines, the diversity of human cultures and languages on islands is also severely imperiled. Island biodiversity hotspots and wilderness areas (in particular the East Melanesian Islands, Wallacea, and New Guinea) hold at least 1,500 languages with less than 10,000 speakers, more than 20 percent of all languages (Gorenflo *et al.*, 2012). The drivers of these declines—colonization, globalization, and the unsustainable use of island resources—are the same as those that underlie the loss of island biodiversity through invasive species and conversion of island habitats.

Hope for Islands

Nonetheless, islands offer hope that we can prevent extinctions and protect biodiversity. There are numerous examples of globally significant conservation successes on islands. Indeed, the best examples of countries that have managed to reduce overall extinction risk to their vertebrate species are all island nations: the Cook Islands, Fiji, Tonga, Mauritius, and the Seychelles (Rodrigues *et al.*, 2014). Tackling a key threat, the development of techniques in New Zealand to eradicate invasive mammals from islands has led to remarkable conservation success stories, and these techniques are now used around the world (Veitch *et al.*, 2011). Following the eradication of invasive rats from Pinzón Island in the Galápagos, the eggs of Pinzón Giant Tortoises (*Chelonoidis duncanensis*) are now able to successfully hatch in the wild (Aguilera *et al.*, 2015).

Seabirds particularly are beneficiaries of this conservation tool and show positive population growth once freed from predation and

de las culturas humanas y las lenguas en islas está en grave riesgo. Los hotspots de biodiversidad de las islas y de las áreas de vida silvestre —en particular entre las Islas de la Melanesia Oriental, Wallacea y Nueva Guinea— albergan a por lo menos 1,500 lenguas habladas por menos de 10,000 personas, que es más del 20 por ciento de todas las lenguas (Gorenflo *et al.*, 2012). Los causantes de estas pérdidas —la colonización, la globalización y el uso no-sustentable de los recursos insulares— son los mismos que están detrás de la pérdida de la biodiversidad insular: las especies invasoras y la conversión de los hábitats insulares.

Hay esperanza para las islas

A pesar de todo, las islas nos ofrecen esperanza de que podamos prevenir las extinciones y proteger la biodiversidad. Existen numerosos ejemplos de éxitos de conservación con importancia mundial en las islas. Los mejores ejemplos provienen de países que han logrado reducir los riesgos de extinción de sus especies de vertebrados, y son países insulares como las Islas Cook, Fiyi, Tonga, Mauricio y las Seychelles (Rodrigues *et al.*, 2014). El desarrollo de técnicas para erradicar mamíferos invasores en Nueva Zelanda ha generado extraordinarias historias exitosas de conservación y estas técnicas son ahora usadas en todo el mundo (Veitch *et al.*, 2011). Tras la erradicación de ratas invasoras de la isla Pinzón en las Galápagos, los huevos de la Tortuga Gigante (*Chelonoidis duncanensis*) pueden ahora eclosionar exitosamente en estado salvaje (Aguilera *et al.*, 2015). Las aves marinas son increíbles beneficiarias de esta herramienta de conservación, que ha logrado incrementar las poblaciones tras la eliminación de la depredación y las perturbaciones causadas por mamíferos invasores, incluyendo la habilidad de recolonizar naturalmente las islas donde sus poblaciones habían sido extirpadas (Jones *et al.*, 2016, Brooke *et al.*, 2017). La erradicación de gatos asilvestrados de la Isla Natividad en México condujo a una dramática reducción de la mortalidad en los sitios de reproducción de la mayor parte de las Pardelas Mexicanas (*Puffinus opisthomelas*) (Keitt y Tershy, 2003), lo que condujo a la reclasificación de esta especie en la Lista Roja de la UICN de Vulnerable a Casi Amenazada. En la Isla Anacapa, una de las Islas del Canal en California, la erradicación de la Rata Negra (*Ratus ratus*) dio pie a un incremento de más del triple de eclosiones exitosas de Mérgulo de Scripps (*Synthliboramphus*

scrippsi) Vulnerable, y a la recolonización de la Alcita de Cassin (*Ptychoramphus aleuticus*), y del Paíño Cenizo (*Oceanodroma homochroa*) en Peligro (Newton *et al.,* 2016; Whitworth *et al.,* 2013). Plantas únicas y comunidades florales también responden positivamente cuando se les libra de mamíferos herbívoros invasores. La erradicación de las cabras de Isla Guadalupe en México permitió la exitosa regeneración y el reclutamiento de especies de árboles endémicos, entre los que se encuentra el endémico Pino de California (*Pinus radiata* var. *binata*) y el Ciprés de Guadalupe (*Cupressus guadalupensis*), así como el redescubrimiento de especies de plantas que se les creía extirpadas (Aguirre-Muñoz *et al.,* 2008).

La erradicación de especies invasoras es un componente clave en la conservación de las islas. La erradicación de los mamíferos invasores provee los cimientos para otras medidas críticas de restauración, como la colonización asistida —conservacionistas ayudando directamente a las especies nativas a retornar a sus islas. Una revisión de resultados de 251 erradicaciones de mamíferos invasores, incluyendo colonizaciones asistidas y recolonizaciones naturales, encontró que 596 poblaciones de 236 especies nativas, incluyendo aves marinas y terrestres, mamíferos, reptiles e invertebrados, mostró evidencia de los beneficios de esta técnica con una respuesta demográfica positiva y/o con la expansión de su territorio natural (Jones *et al.,* 2016). Fue la combinación de la erradicación de mamíferos invasores y la reintroducción lo que salvó al Tordo de las Seychelles (*Copsychus sechellarum*) incrementando su población de 12–15 aves en 1965 a 150 en el 2005 (Hoffmann *et al.,* 2010). El Kākāpō (*Strigops habroptila*) de Nueva Zelanda, un loro no-volador nocturno y de anidamiento en tierra y el psitácido más pesado del mundo que alguna vez fue abundante en las tres islas mayores, pareció estar destinado a la extinción tras la llegada de los humanos y de la introducción de depredadores. Para la década de 1970 solo se encontraron 18 machos en la Isla Sur de Fiordland, aunque luego en 1977 se descubrió un grupo poblacional de unas 100 aves que había escapado de la devastación en la Isla Stewart. Entre 1980 y 1997, las 62 aves que escaparon a la depredación fueron capturadas y traslocadas

Greenland • Groenlandia

disturbance by invasive mammals, including recolonization of islands where they were previously extirpated (Jones *et al.*, 2016; Brooke *et al.*, 2017). The eradication of feral cats on Natividad Island, Mexico, led to a dramatic reduction in mortality in the breeding location of the majority of the world's Black-vented Shearwaters (*Puffinus opisthomelas*) (Keitt and Tershy, 2003), leading to a downlisting from Vulnerable to Near Threatened on the IUCN Red List. On Anacapa Island, one of the California Channel Islands, the eradication of Black Rats (*Rattus rattus*) led to a three-fold increase in the hatching success of the Vulnerable Scripps's Murrelet (*Synthliboramphus scrippsi*), and recolonization by Cassin's Auklet (*Ptychoramphus aleuticus*) and the Endangered Ashy Storm-petrel (*Oceanodroma homochroa*) (Newton *et al.*, 2016; Whitworth *et al.*, 2013). Rare plants and floral communities also respond well once freed from invasive mammalian herbivores. The eradication of goats from Guadalupe Island in Mexico allowed for the regeneration and recruitment of endemic trees, including a pine (*Pinus radiata* var. *binata*) and a cypress (*Cupressus guadalupensis*), and the rediscovery of plants thought extinct or extirpated (Aguirre-Muñoz *et al.*, 2008).

Invasive eradication is a core component of island conservation. Eradication of invasive mammals provides a foundation for other critical restoration measures, including assisted colonization—conservation practitioners helping native species to return to islands. A review of outcomes following 251 invasive mammal eradications, including assisted colonizations and natural recolonizations, showed that 596 populations of 236 native species, including seabirds, landbirds, mammals, reptiles, and invertebrates, had benefited through positive demographic responses and/or increases in their natural range (Jones *et al.*, 2016). It was the combination of invasive mammal eradication and reintroduction that secured the Seychelles Magpie-robin (*Copsychus sechellarum*) from a low of 12–15 birds in 1965 to 150 by 2005 (Hoffmann *et al.*, 2010). The Kākāpō (*Strigops habroptila*), a nocturnal, ground-dwelling parrot, the world's heaviest psittacine, was once abundant on New Zealand's three main islands. This flightless species seemed doomed to extinction due to the arrival of humans and the introduction of predators. By the 1970s, only 18 males were known in Fiordland, South Island, but in 1977, a population of around 100 was discovered on Stewart Island. Between 1980 and 1997, the 62 birds that had escaped predation were captured and translocated to off-

a otras islas en donde no había o habían sido eliminados los depredadores (sin ratas ni comadrejas). En la actualidad existen poblaciones de Kākāpōs en Whenua Hou/Isla Codfish, en Isla Anchor (al sur de la región de Fiordland) y en Hauturu o Toi/Isla Little Barrier (Golfo de Hauraki). El número de Kākāpōs ha crecido a más de 150, producto de la crianza concienzuda y de su monitoreo (Collar *et al.*, 2017). El Fásmido de la isla Lord Howe, en Peligro Crítico, es un insecto palo que solamente habita en la Pirámide de Ball —ubicada al sureste de la isla Lord Howe. Esta especie que se presumía extinta, fue redescubierta en 2001 cuando un equipo de dedicados biólogos escalaron sus paredes y descubrieron una población entre algunos arbustos. Se cree que esta especie también habitó la Isla Lord Howe pero muy probablemente fue extirpada después de la introducción de ratas. Una exitosa población criada en cautiverio originada de un pequeño número de individuos tomados de la Pirámide de Ball permitirá la implementación de un programa de reintroducción una vez que las ratas sean erradicadas (Magrath y Cleave, 2017). La combinación de estas técnicas ofrece esperanza para las especies en riesgo debido al cambio climático. La población de Ánade de Laysán (*Anas laysanensis*) en Peligro Crítico, está restringida a los atolones bajos de las islas del noroeste de Hawái, pero hay un plan de recuperación para esta especie que identifica su traslocación a islas de mayor elevación en otros sitios de Hawái, entre ellas Kahoʻolawe; sin embargo, la remoción de mamíferos invasores es el primer paso necesario (U.S. Fish and Wildlife Service, 2009). Las técnicas de atracción social para aves marinas —la disposición de señuelos visuales y acústicos imitando las actividades de las colonias para atraerlas a nuevos sitios de reproducción— han producido resultados positivos en el norte de México, en donde el 70 por ciento de las colonias extirpadas de diez especies han sido devueltas a las islas en tan solo veinte años (Bedolla-Guzmán *et al.*, en prensa).

El surgimiento de novedosas técnicas de conservación para las islas. Se están implementando técnicas alternativas de conservación para proteger áreas y especies clave en muchas de las grandes islas con poblaciones humanas considerables. Existen numerosas historias extraordinarias de especies recuperadas del borde de la extinción en algunas de estas islas, entre ellas, la isla Mauricio en el océano Índico es un excelente ejemplo. Allí, hace algunas décadas, poblaciones de Paloma Rosada (*Nesoenas mayeri*) y del Cernícalo de Mauricio (*Falco*

shore islands which were, or were made, predator free (rats and stoats). Today there are breeding populations on Whenua Hou/Codfish Island (off Stewart Island), Anchor Island (southwest Fiordland), and Hautu-ru-o-Toi/Little Barrier Island (Hauraki Gulf) and, with careful nurturing and monitoring, the Kākāpō's numbers have grown to more than 150 (Collar *et al.*, 2017).

The Critically Endangered Lord Howe Island Phasmid is today known only from Ball's Pyramid, a 550-meter-tall rock stack southeast of Lord Howe Island, where it was rediscovered in 2001 by a team of hardy biologists scaling the cliff face. This stick insect likely also occurred on Lord Howe Island but was extirpated following the introduction of rats. A successful captive breeding population, originating from a handful of individuals from Ball's Pyramid, will allow for a reintroduction program once the rats have been eradicated (Magrath and Cleave, 2017). The combination of techniques to remove threats and secure new breeding sites also offers hope for species at risk from climate change. The Critically Endangered Laysan Duck (*Anas laysanensis*) is restricted to low elevation atolls in the Northwestern Hawaiian Islands, but a recovery plan identifies translocation to high elevation islands elsewhere in Hawai'i, among them Kaho'olawe; invasive mammal removal is, however, a necessary first step (U.S. Fish and Wildlife Service, 2009). Seabird social attraction techniques—visual and acoustic decoys to mimic colony activity and lure seabirds to new breeding sites—have provided encouraging results on islands in Northwest Mexico, where 70 percent of extirpated colonies of ten species have been brought back to the islands in just two decades (Bedolla-Guzmán *et al.*, in press).

Novel techniques for island conservation are emerging. Alternative conservation techniques are being implemented to protect key areas and species on many of the larger islands that have considerable human populations. There are many extraordinary stories of species being brought back from the brink on some of these islands, Mauritius being an excellent example. There, the Pink Pigeon (*Nesoenas mayeri*) and the Mauritius Kestrel (*Falco punctatus*) were down to less than ten individuals each just decades ago. Intensive conservation action included captive breeding, habitat restoration, control of invasive predators, supplementary feeding, and the establishment of protected areas, which allowed the numbers of these species to increase and

punctatus) habían disminuido a menos de diez individuos cada uno. Las acciones de conservación intensivas incluían la reproducción en cautiverio, la restauración del hábitat, el control de depredadores invasores, la suplementación alimenticia y el establecimiento de áreas protegidas que finalmente permitieron que sus números se incrementaran previniendo su extinción (Jones, 2017). El cercado del territorio ha sido una estrategia importante en las islas grandes haciendo posible la creación de áreas efectivas de protección. En Isla Guadalupe en México, una cerca a prueba de gatos generó una península de 64 hectáreas libre de gatos asilvestrados. Tan solo dos años después de la remoción de todos los gatos, el endémico Mérgulo de Guadalupe (*Synthliboramphus hypoleucus*) que había sido reducido a tan solo unos cuantos islotes aledaños, volvió a anidar en la isla mayor tras cien años de ausencia. En Nueva Zelanda, se han construido cercas a prueba de depredadores para prevenir que incluso los ratones accedan a los hábitats sensibles de vida silvestre nativa. El Tieke de la Isla Norte (*Philesturnus rufusater*), un ave paseriforme habitante del bosque, para la década de 1960 su dispersión estaba ya limitada a tan solo una isla, hoy ya ha sido reintroducida a 15 islas y a cinco sitios protegidos con cercas en las principales islas de Nueva Zelanda (BirdLife International, 2018). Este método, en combinación con la erradicación localizada en áreas cercadas, ha protegido de depredadores invasores destructivos a miles de hectáreas Este método, en combinación con la erradicación localizada en áreas cercadas, ha protegido de depredadores invasores destructivos a miles de hectáreas de tierra en islas. Sin embargo, hasta que llegue el tiempo en el que las grandes islas sean limpiadas de especies invasoras y se les haya protegido del cambio climático, los esfuerzos para preservar a los últimos ejemplares de especies insulares únicas tendrán que continuar, incluyendo el resguardo en cautiverio, la creación de bancos de semillas y el aislamiento de poblaciones en islas pequeñas (Caujape-Castells *et al.*, 2010). La esperanza se mantiene cuando naciones como Nueva Zelanda anuncian su deseo de convertirse en territorio libre de depredadores invasores para el 2050, hecho que nos inspira y nos dota de una meta de conservación sin precedentes para todos (NZ DOC, 2017).

Este libro es una celebración de las islas de nuestro mundo. En estas páginas exploramos islas de todas formas, tamaño y localizaciones geográficas, incluyendo los paisajes, plantas y animales exclusivos de

prevented their extinction (Jones, 2017). Fencing has been an important strategy on these larger islands, making it possible to create effective protected areas. On Guadalupe Island in Mexico, a cat-proof fence created a 64-hectare peninsula free from predation by feral cats. Just two years after the removal of all cats, the endemic Guadalupe Murrelet (*Synthliboramphus hypoleucus*), restricted only to nearby islets, nested again on the main island after a century of absence. In New Zealand, predator-proof fences have prevented even mice from entering sensitive native wildlife habitats. The North Island Saddleback (*Philesturnus rufusater*), a forest-dwelling passerine which had become restricted to just one island in the 1960s, has now been reintroduced to 15 islands and to five predator-proof fence sites on the main New Zealand islands (BirdLife International, 2018). This method, combined with localized eradication in fenced areas, has protected thousands of hectares of island land from being impacted by invasive predators. However, until such time that very large islands can be cleared of invasive species and protected from climate change, major efforts to preserve the last examples of rare island species will have to continue, including maintaining safety colonies in captivity, seed banking for plants, and marooning populations on smaller islands (Caujape-Castells *et al.*, 2010). But hope remains, with nations like New Zealand announcing ambitions to become invasive-predator free by 2050, providing an unparalleled conservation goal and an inspiration for all (NZ DOC, 2017).

This book is a celebration of our world's islands. In these pages, we explore islands of all shapes, sizes, and geographic locations, as well as the landscapes, the plants, and the animals found only in these amazing places. There is a real urgency to protect unique island habitats. Many are some of the last true wild places on Earth. Compared to continents, islands are home to a disproportionately higher level of endemic species per unit area. Sadly, islands also have disproportionately higher numbers of threatened species and extinctions. For this reason, investing limited conservation funds on islands provides a high return on investment. Many of these investments have resulted in remarkable stories of restoration success, including the recovery of globally threatened species and the rediscovery of species thought extinct. Islands have long inspired the human imagination. We hope this book will continue this tradition and will make the reader even more excited about these unique and fascinating places on our living planet.

estos sorprendentes sitios. Existe una urgencia genuina de proteger los hábitats insulares únicos. Muchos son algunos de los últimos lugares verdaderamente salvajes sobre la Tierra. Comparadas con los continentes, las islas son el hogar de un nivel desmesuradamente mayor de endemismo de especies por área unitaria. Tristemente, las islas también cuentan con una cantidad desmesuradamente mayor de especies amenazadas y de extinciones. Es por esta razón que invertir recursos en la conservación de islas nos proporciona un alto retorno de la inversión. Muchas de estas inversiones, han resultado en sorprendentes historias de restauraciones exitosas, incluyendo el rescate de especies amenazadas globalmente y el redescubrimiento de especies que se creyeron extintas. Las islas han inspirado la imaginación humana desde siempre. Nuestra esperanza es que este libro continúe esa tradición y que haga al lector sentir aún más entusiasmo por estos fascinantes lugares únicos de nuestro planeta viviente.

Major island geographies of the world • Principales regiones insulares del mundo

Micronesia and Polynesia
Micronesia y Polinesia

Atlantic Ocean Islands
Islas del Océano Atlántico

Caribbean Islands
Islas del Caribe

Eastern Pacific Islands
Islas del Pacífico Oriental

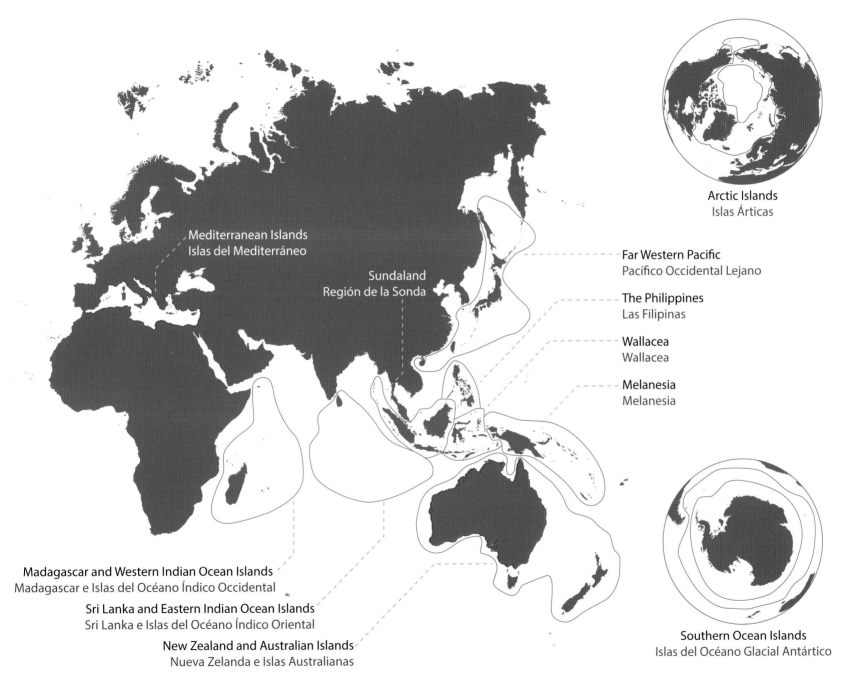

Mediterranean Islands
Islas del Mediterráneo

Sundaland
Región de la Sonda

Arctic Islands
Islas Árticas

Far Western Pacific
Pacífico Occidental Lejano

The Philippines
Las Filipinas

Wallacea
Wallacea

Melanesia
Melanesia

Madagascar and Western Indian Ocean Islands
Madagascar e Islas del Océano Índico Occidental

Sri Lanka and Eastern Indian Ocean Islands
Sri Lanka e Islas del Océano Índico Oriental

New Zealand and Australian Islands
Nueva Zelanda e Islas Australianas

Southern Ocean Islands
Islas del Océano Glacial Antártico

49

Madagascar and Western Indian Ocean Islands
Madagascar e Islas del Océano Índico Occidental

Olivier Langrand and Russell A. Mittermeier

South of the Equator, off the coast of East Africa, lie Madagascar, the Comoros, the Seychelles, the Mascarenes, and the Scattered Islands that constitute the Madagascar and Indian Ocean Islands Biodiversity Hotspot. They constitute an emerged area of 600,461 square kilometers, of which 592,040 are accounted for by Madagascar alone.

Madagascar is the world's fourth largest island and the largest oceanic island. It was part of the massive supercontinent called Gondwana. When Madagascar split from Africa 165 million years ago, a large proportion of plants and animals had yet to evolve, and this was still the case when it separated from India 90 million years ago. Most of the ancestors of today's fauna and flora made their way to Madagascar subsequently through post-drift events. The exceptional biodiversity and high level of endemism, not only at the species level but also at the generic and family levels, is the result of this long history of isolation. Of over 15,000 vascular plant species found in Madagascar, more than 85 percent are endemic, and the same is true for most of the vertebrates, with the best example being the five families, 15 genera, and 112 taxa of lemurs, all of which are endemic.

The smaller islands of the Southwestern Indian Ocean also display high levels of endemism. The Mascarene Archipelago is made up of three islands: Réunion (2,512 square kilometers), emerged 2 million years ago and includes Piton des Neiges (3,069 m), the highest peak

Propithecus verreauxi
Verreaux's Sifaka • Sifaka de Verreaux
Madagascar • Madagascar
PETE OXFORD

Al sur del Ecuador y frente a las costas del África Oriental se encuentran Madagascar, las Islas Comoras, las Seychelles, las Mascareñas y las Islas Dispersas del Índico. Constituyen el Hotspot de Biodiversidad de Madagascar e Islas del Índico. Estas islas emergentes reúnen una superficie de 600,461 kilómetros cuadrados, de los cuales 592,040 corresponden a Madagascar.

Madagascar es la mayor isla oceánica y la cuarta más grande del mundo. Formó parte del súper-continente Gondwana. Al separarse de África hace 165 millones de años, una gran parte de las plantas y animales habrían aún de evolucionar, hecho que siguió vigente hasta separarse de la India hace 90 millones de años. La mayoría de los ancestros de la fauna y la flora actual llegaron allí en eventos subsecuentes durante la deriva. La excepcional biodiversidad y endemismo, no solo a nivel de especies sino también de género y familia, son el resultado de esta larga historia de aislamiento. De las 15,000 especies de plantas vasculares encontradas en Madagascar, más del 85 por ciento son endémicas y lo mismo sucede con la mayoría de los vertebrados, siendo un buen ejemplo de ello las cinco familias, 15 géneros y 112 taxones de lémures, todos ellos endémicos.

También las islas más pequeñas del Océano Índico Occidental exhiben altos niveles de endemismo. El Archipiélago de las Mascareñas está formado por tres islas: la Reunión (2,512 kilómetros cuadrados) que emergió hace 2 millones de años y ostenta el pico más alto del Océano Índico Occidental, el Pitón de las Nieves (3,069 metros); las Mauricio (1,865 kilómetros cuadrados) son las más antiguas con una edad de 8 millones de años, y las islas Rodrígues (109 kilómetros cuadrados) que son las más pequeñas, con alrededor de 1.5 millones de años de antigüedad.

in the southwest Indian Ocean; Mauritius (1,865 square kilometers) is an older volcanic island formed 8 million years ago; and Rodrigues (109 square kilometers)., the smallest of the three, is about 1.5 million years old.

The islands of the Seychelles cover only 455 square kilometers but are scattered over an extensive area. The central archipelago (244 square kilometers) has 42 granitic continental islands of which Mahé (152 square kilometers) is the largest, and there are also three groups of atolls derived from volcanic episodes: Amirantes (29 islands), Farquhar (13 islands), and Aldabra (67 islands).

The Comores are made up of four volcanic islands (2,035 square kilometers) anchored on oceanic basaltic bedrock. Grande Comore (1,034 square kilometers) is the largest and highest, with Mount Karthala reaching 2,361 m. Anjouan (424 square kilometers) and Mohéli (290 square kilometers) are also mountainous islands. Mayotte (375 square kilometers) is the oldest island of the archipelago.

Madagascar was one of the last larger landmasses to be colonized by humans, with our own species arriving there a little over 2,000 years ago. The colonization of the other islands was even more recent, only about 500 years ago. As is well known, the arrival of humans on these islands brought about dramatic ecological changes. Widespread destruction of the natural habitat, the introduction of alien species, and direct predation led to the extinction of many species throughout the islands of this region. The Dodo of Mauritius (*Raphus cucullatus*), which went extinct just a few decades after the European discovery of the island in the late 1600s, is the most infamous case, but there were many others as well, including at least eight genera and 17 species of giant lemurs and eight species of the remarkable elephant birds, besides several giant tortoises and many other spectacular creatures.

The Scattered Islands—five islands of volcanic origin and coralline nature—are located west of the island of Madagascar, and include the Glorioso Islands, Europa, Juan de Nova, Bassas da India, and Tromelin,

Aldabrachelys gigantea
Aldabra Giant Tortoise • Tortuga Gigante de Aldabra
Picard Island, Seychelles Islands • Isla Picard, Islas Seychelles

Las Islas Seychelles cubren una superficie de tan solo 455 kilómetros cuadrados, pero están esparcidas en un área muy extensa. El archipiélago central (243 kilómetros cuadrados) tiene 42 islas continentales de granito, la mayor es Mahé (152 kilómetros cuadrados) y tres atolones resultado de episodios volcánicos: Amirantes (29 islas), Farquhar (13 islas) y Aldabra (67 islas).

Las Islas Comoras se conforman de cuatro islas volcánicas (2,035 kilómetros cuadrados) asentadas en el fondo marino basáltico. La isla más grande y alta es la Gran Comora (1,034 kilómetros cuadrados) en donde el Monte Karthala alcanza 2,361 m. de altura. Anjouan (424 kilómetros cuadrados) y Mohéli (290 kilómetros cuadrados) son también islas montañosas. La Mayotte es la isla más antigua del archipiélago.

Madagascar fue una de las masas continentales más tardíamente colonizadas. Nuestra propia especie arribó allí apenas hace 2,000 años y la colonización de las otras islas es aún más reciente, tan solo unos 500 años. Como es bien sabido, la llegada de los humanos a estas islas trajo cambios dramáticos en la ecología. La destrucción masiva del hábitat natural, la introducción de especies exóticas y la depredación directa llevaron a muchas especies de la región a la extinción. El caso más notorio es el Dodo de Mauricio (*Raphus cucullatus*) que fue exterminado apenas unas décadas después del descubrimiento de la isla por los europeos a finales de Siglo XIV. Le siguieron muchas otras que eliminaron a por lo menos ocho géneros y 17 especies de lémures gigantes, y a ocho especies de los increíbles pájaros elefante además de varias tortugas gigantes entre muchas otras criaturas espectaculares.

Las Islas Dispersas del Índico —cinco islas de origen volcánico y de naturaleza coralina— se localizan al oeste de Madagascar y comprenden a las Islas Glorioso, Europa, Juan de Nova, el atolón Bassas da India y Tromelin, totalizando 44 kilómetros cuadrados. Son sitios de importancia para la reproducción de la tortuga verde y de muchas aves marinas.

Pemba y Zanzibar son dos islas bajas frente a la costa de África Oriental similares en tamaño (988 y 1,464 kilómetros cuadrados respectivamente), aunque Pemba se separó del continente un millón de años antes que Zanzibar, por tanto Pemba alberga a un mayor número de especies endémicas como el Zorro Volador de Pemba (*Pteropus voeltzkowi*). Debido a que el hábitat natural original de Zanzibar ha sido destruido en gran parte, especies endémicas como el Colobo Rojo de

Euryceros prevostii
Helmet Vanga • Vanga de Casquete
Madagascar • Madagascar

NICK GARBUTT

together totaling 44 square kilometers. They are important breeding sites for green turtles and many seabird species.

Pemba and Zanzibar are low lying islands located off the coast of East Africa and similar in size (988 and 1,464 square kilometers, respectively), but Pemba was isolated from the continent more than a million years before Zanzibar. Pemba, therefore, hosts many more endemic species than Zanzibar; the Pemba Flying Fox (*Pteropus voeltzkowi*) is an example. Zanzibar's original natural habitat has been largely destroyed, and species such as the endemic Zanzibar Red Colobus (*Piliocolobus kirkii*) are now restricted to remnant pockets of forest. These two islands are an integral part of the Coastal Forests of Eastern Africa Biodiversity Hotspot.

Socotra (3,607 square kilometers), a rugged island with its highest point reaching 1,525 m, is located east of the Horn of Africa and south of the Arabian Peninsula and is part of the Horn of Africa Biodiversity Hotspot. It has been isolated for 6 million years and has an exceptionally rich flora and fauna with considerable endemism, as symbolized by the iconic Dragon's Blood Tree (*Dracaena cinnabari*).

Zanzibar (*Piliocolobus kirkii*) actualmente se encuentran constreñidas a lo poco que resta de los bosques. Las dos islas forman parte integral del bosque costero del Hotspot de Biodiversidad de África Oriental.

Socotra (3,607 kilómetros cuadrados) es una escarpada isla cuyo punto más alto alcanza los 1,525 metros de altura. Está localizada al este del Cuerno de África y al sur de la Península Arábiga y forma parte del Hotspot de Biodiversidad del Cuerno de África. Aislada durante 6 millones de años, esta isla es excepcionalmente rica en flora y fauna, con un importante endemismo representado por el emblemático Árbol Drago de Socotra (*Dracaena cinnabari*).

Daubentonia madagascariensis
Aye-aye • Aye-aye
Madagascar • Madagascar

NICK GARBUTT

Calumma parsonii
Parson's Chameleon • Camaleón de Parson
Madagascar • Madagascar
FRANS LANTING / NATIONAL GEOGRAPHIC CREATIVE

Avenue of the Baobabs • Avenida de los Baobabs
Madagascar • Madagascar

Sri Lanka and Eastern Indian Ocean Islands
Sri Lanka e Islas del Océano Índico Oriental

Olivier Langrand

The islands of the Eastern Indian Ocean include one large island, the country of Sri Lanka (67,610 square kilometers), and several smaller island chains, such as the Maldives and the Andaman and Nicobar islands.

Sri Lanka is a continental island separated from the tip of the Indian Peninsula by the Palk Strait, and is part of the Western Ghats and Sri Lanka Biodiversity Hotspot. In spite of the fact that a land bridge connected Sri Lanka with India in the recent geological past, levels of diversity and endemism are quite high, especially in the wet zone with its lowland and montane rain forests, but also in the dry part of the island. More than 4,000 plant species have been inventoried, 26 percent of which are endemic. The level of endemism is also high in all groups of vertebrates, including the reptiles (51 percent). A total of 21 endemic mammal species are found there, including six taxa of slender loris and eight monkeys (all Critically Endangered or Endangered) and 90 species of endemic amphibians, among them the Critically Endangered Das's Dwarf Toad (*Adenomus dasi*). Flagship species include the Asian Elephant (*Elephas maximus*), with a population of 2,500–4,000, one of the largest remaining, and often generating human-elephant conflicts. With a population of 22 million, Sri Lanka is very densely populated. Agricultural development and increasing urbanization needed to accommodate the growing population are the

Sri Lanka (67,610 kilómetros cuadrados) es la mayor de una cadena de islas del Océano Índico Oriental, entre las que encontramos varias pequeñas islas como Las Maldivas y las Islas Andamán y Nicobar.

Sri Lanka es una isla continental en el extremo sur del subcontinente indio, separada por el Estrecho de Palk y es parte del Hotspot de Biodiversidad de Sri Lanka y de las Montañas Occidentales de Ghats, en India. A pesar de que en el pasado geológico reciente Sri Lanka estuvo unida por tierra con India, los niveles de diversidad y endemismo son muy altos, especialmente en las zonas de planicie y de bosque montano húmedo, así como en la parte seca de la isla. Se han inventariado más de 4,000 especies de plantas, 26% de ellas endémicas. El nivel de endemismo entre los vertebrados también es elevado, incluyendo a los reptiles (51%). Se han encontrado un total de 21 especies endémicas de mamíferos que incluyen seis taxones de loris delgados y ocho de monos (todos en Peligro Crítico de Extinción), además de 90 especies de anfibios, entre los que encontramos a la Rana Alpinista (*Adenomus dasi*) en Peligro Crítico de Extinción. El Elefante Asiático (*Elephas maximus*) se encuentra entre las especies emblemáticas, con una población entre 2,500 y 4,000 individuos que a menudo son motivo de conflicto con los humanos. Densamente poblada, Sri Lanka cuenta con 22 millones de habitantes. Las principales amenazas que afectan sus ecosistemas naturales son el desarrollo agrícola y la creciente urbanización necesaria para atender a la demanda de espacio para la población. La pérdida de hábitat y la fragmentación de los ecosistemas naturales elevan el nivel de riesgo para las especies, en especial a las endémicas en Peligro de Extinción, como es el caso del Autillo de Thilo Hoffmann (*Otus thilohoffmanni*), o la Arrenga de Ceilán (*Myophonus blighi*).

Trimeresurus trigonocephalus
Sri Lanka Pit Viper • Víbora de Sri Lanka
Sri Lanka • Sri Lanka

main threats affecting natural ecosystems. Habitat loss and the fragmentation of its natural ecosystems lead to higher levels of threat, affecting species, especially endemics, such as the Endangered Serendib Scops Owl (*Otus thilohoffmanni*) or the Endangered Ceylon Whistling Thrush (*Myophonus blighi*).

South of the Maldives, the Chagos Archipelago consists of 60 islands, the largest (44 square kilometers) being Diego Garcia. These coral atolls, reaching a maximum elevation of only 9 meters above sea-level, have low terrestrial biodiversity with no endemic species. The Maldives (298 square kilometers) are located in the Arabian Sea, southwest of India. The archipelago is composed of 1,192 coral islands, grouped in a chain of 26 coral atolls, the result of a slight elevation of the Chagos-Lacadive submarine plateau. The terrestrial fauna and flora is low in diversity, but the marine life is very rich. The Maldives are coral in origin, have the seventh largest coral reef on Earth, and are only 2.4 meters above sea level at their highest point, making the country one of the most vulnerable in the world to sea level rise.

South of the Bay of Bengal, the 325 islands of the Andaman Archipelago (6,408 square kilometers) are located east of India and are separated from Myanmar in the east by the Andaman Sea. The Andaman Islands and the more southern Nicobar Islands (1,841 square kilometers) are part of the island arch that extends from the Arakan Yoma Hill Range of Myanmar to the Sumatra Range of Indonesia. Levels of diversity and endemism are high, especially among plants. The flora of the Andamans, the highest summit of which reaches 732 meters, has affinities with the Indo-Myanmar region and belongs to the Indo-Burma Biodiversity Hotspot, while the flora of the Nicobars is influenced by Indonesia, and is part of the Sundaland Biodiversity Hotspot. These forested tropical islands host many endemic species such as the Endangered Narcondam Hornbill (*Rhyticeros narcondami*), the Andaman Serpent Eagle (*Spilornis elgini*), the Nicobar Scrubfowl

Gecarcoidea natalis
Christmas Island Red Crab • Cangrejo Rojo de la Isla Navidad
Christmas Island, Australia • Isla Navidad, Australia

Las Maldivas (298 kilómetros cuadrados) se localizan en el Mar de Arabia, al suroeste de India. Este archipiélago comprende 1,292 islas coralinas agrupadas en una cadena de 26 atolones, producto de la baja elevación de la plataforma submarina de Chagos-Laccadive. Aquí la diversidad de flora y fauna terrestres es baja y la vida marina muy abundante. El origen de Las Maldivas es coralino, cuentan con el séptimo arrecife más grande del mundo y tienen una elevación máxima de tan solo de 2.4 metros sobre el nivel del mar, haciéndolo uno de los países más vulnerables al aumento del nivel del mar.

Al sur de Las Maldivas, el Archipiélago de Chagos está formado por 60 islas; la mayor es Diego García (44 kilómetros cuadrados). Este atolón coralino tiene una elevación máxima de tan solo 9 metros y presenta una biodiversidad terrestre baja, sin especies endémicas.

Al sur de la Bahía de Bengala, al este de la India, 325 islas del Archipiélago de Andamán (6,408 kilómetros cuadrados) se separan de Myanmar al este por el Mar de Andamán. Las Islas de Andamán y al sur las Nicobar (1,841 kilómetros cuadrados) son parte de la formación que se extiende desde la Cordillera Arkan Yoma de Myanmar, hasta la cadena montañosa de Sumatra, en Indonesia. Allí la diversidad y el endemismo son altos, especialmente entre la flora. La cima más alta de las Andamán con 732 metros de altura, presenta afinidad con la región del Indo-Myanmar y pertenece al Hotspot de Biodiversidad Indo-Burma, mientras que la flora presenta influencia de Indonesia y forma parte del Hotspot de Biodiversidad de la Región de la Sonda. Estas islas de bosque tropical son hogar de muchas especies endémicas en Peligro de Extinción, como el Cálao de la Narcondam (*Rhyticeros narcondami*); el Águila Culebrera de Andamán (*Spilornis elgini*); el Talégalo de Nicobar (*Megapodius nicobariensis*); la Musaraña de Andamán (*Crocidura andamanensis*) y la rata de Andamán (*Rattus stoicus*). Las islas Andamán y Nicobar han estado habitadas por miles de años y son hogar de grupos indígenas culturalmente únicos, destacando el aislado pueblo de la Isla Sentinel del Norte, que ha repelido de manera agresiva todo intento de contacto del mundo exterior.

El archipiélago de 27 atolones tropicales de las Islas Cocos (14 kilómetros cuadrados) se encuentran en el centro del Océano Índico, entre Australia y Sri Lanka. Su importancia biológica incluye las colonias de aves marinas, donde entre otras especies encontramos al Piquero Patirojo (*Sula sula*). Al este de Cocos (Keeling) y al suroeste de Java,

Elephas maximus and *Himantopus himantopus*
Asian Elephant with Black-winged Stilt •
Elefante Asiático con Zancuda de Alas Negras
Minneriya National Park, Sri Lanka •
Parque Nacional de Minneriya, Sri Lanka

ANDY ROUSE / MP / NATURE IN STOCK

(*Megapodius nicobariensis*), the Andaman Shrew (*Crocidura andamanensis*), and the Andaman Rat (*Rattus stoicus*). The Andaman and Nicobar islands have been populated by humans for thousands of years and are home to culturally unique groups of indigenous peoples, most notably the isolated and still uncontacted people of Sentinel Island, who have aggressively repelled all attempts at contact by the outside world.

In the middle of the Indian Ocean between Australia and Sri Lanka lie the Cocos (Keeling) Islands (14 square kilometers)—an archipelago of 27 tropical atolls. Their biological importance includes the seabird colonies of Red-footed Boobies (*Sula sula*) and other species. East of Cocos (Keeling) Islands, and south-west of Java, Christmas Island (135 square kilometers) is the summit of a submarine mount. It reaches 360 meters above sea level and is covered with tropical rainforest. It is known for its high diversity of crabs, and more specifically the Red Crabs (*Gecarcoidea natalis*) that perform spectacular annual migrations of millions of individuals, and the very large Coconut Crabs (*Birgus latro*). Other flagship species include the endemic Critically Endangered Christmas Island Frigatebird (*Fregata andrewsi*) and the Endangered Abbott's Booby (*Papasula abbotti*). Cocos (Keeling) Islands and Christmas Island are an integral part of the Sundaland Biodiversity Hotspot.

la Isla Navidad (135 kilómetros cuadrados) es la cima de una cadena montañosa submarina. Alcanza una altura de 360 metros sobre el nivel del mar y está cubierta de selva tropical. Se le conoce por su alta diversidad de cangrejos y más específicamente por los Cangrejos Rojos (*Gecarcoidea natalis*), protagonistas de una espectacular migración anual de millones de individuos, además de contar con el enorme Cangrejo de los Cocoteros (*Birgus latro*). Otras especies emblemáticas endémicas en Peligro Crítico de Extinción son el Rabihorcado de la Christmas (*Fregata andrewsi*) y el Alcatraz de Abbot (*Papasula abbotti*). Las Islas Cocos (Keeling) y la isla Navidad son parte integral del Hotspot de Biodiversidad de la Región de la Sonda.

Philautus asankai
Powder Blue Mountain Frog • Rana Azul Celeste
Sri Lanka • Sri Lanka
CRISTINA MITTERMEIER / NATIONAL GEOGRAPHIC CREATIVE

Panthera pardus kotiya
Sri Lankan Leopard • Leopardo de Sri Lanka
Yala National Park, Sri Lanka • Parque Nacional de Yala, Sri Lanka

LUCAS BUSTAMANTE / NATUREPL.COM

Coral Reef • Arrecife de Coral
Maldives Islands • Islas Maldivas
GIORDANO CIPRIANI

Sundaland
Región de la Sonda

Barney Long

Sundaland is a biogeographic region of Southeast Asia encompassing the Sunda Shelf, a southeast extension of its continental shelf. It covers the Malay Peninsula along with the three major islands of Borneo, Sumatra, and Java, besides multiple small islands in the Java Sea and to the west of Sumatra. The sea between these islands is shallow at only 120 m deep or less. The islands have been connected by land bridges and separated by seas at various times in the past, so there are many similarities in their fauna and flora, but also a high degree of endemism and local distribution discontinuities. Borneo is the third largest island on Earth and Sumatra the sixth, while Java is the most densely populated.

Borneo (725,500 square kilometers) consists of extensive coastal plains in the south and west with a mountainous backbone running from the northeast into the central highlands. Six percent of Borneo is higher than 1,000 m above sea level, with its highest peak, Mount Kinabalu, rising to 4,101 meters. Borneo is shared by three countries: Indonesian Kalimantan (73 percent of the island at 544,150 square kilometers), Malaysian Sabah (73,904 square kilometers) and Sarawak (124,451 square kilometers), and the Kingdom of Brunei (5,765 square kilometers). An estimated 18 million people live on Borneo. The indigenous people are called Dayak, but there are over 50 ethnic

Rafflesia arnoldii
Corpse Lily Flower • Lirio de Cadáver
Mount Kinabalu National Park, Sabah, Borneo, Indonesia •
Parque Nacional del Monte Kinabalu, Sabah, Borneo, Indonesia
FRANS LANTING / NATIONAL GEOGRAPHIC CREATIVE

La Sonda es una región biogeográfica en el Sureste de Asia que comprende la Plataforma de la Sonda; una prolongación sudoriental de la plataforma continental. Abarca la Península de Malasia y sus tres islas mayores, Borneo, Sumatra y Java, además de un sinnúmero de pequeñas islas del Mar de Java y del oeste de Sumatra. El mar entre las islas es poco profundo con una profundidad máxima de 120 metros. Las islas actualmente separadas por el mar, en numerosas ocasiones en el pasado estuvieron comunicadas por medio de puentes terrestres, por lo que existen muchas similitudes entre su flora y fauna, aunque también está presente un alto grado de endemismo así como discontinuidades en la distribución regional. Borneo es la tercera isla más grande del mundo y Sumatra la sexta, mientras que Java es la más densamente poblada.

Borneo (725,500 kilómetros cuadrados) exhibe planicies costeras extensas en el sur y en el oeste de la isla, con una dorsal montañosa que corre del noreste hacia las tierras altas del centro. Solo seis por ciento de Borneo tiene una elevación por encima de los 1,000 metros sobre el nivel del mar, y el pico más alto Monte Kinabalu se eleva a 4,101 metros. Borneo es compartida por tres países: Kalimantan Indonesio (73 por ciento de la isla, con 544,150 kilómetros cuadrados), Sabah Malayo (73,904 kilómetros cuadrados) y Sarawak (124,451 kilómetros cuadrados), además del Imperio de Brunéi (5,765 kilómetros cuadrados). La población de Borneo se estima en 18 millones de personas y en general a los pobladores nativos se les denomina Dayak, pero hay más de 50 grupos étnicos Dayak, cada uno con identidad lingüística y cultural propia. Los bosques tropicales húmedos predominan en Borneo desde las tierras bajas hasta las saludables selvas montañosas. Los bosques tropicales de Borneo se encuentran entre

Dayak groups, each with their own cultural and linguistic identity. Borneo is dominated by tropical forest, from lowland rainforest to mountain heath forest. The rainforests are part of the most ancient forest on Earth, thought to be 130 million years old. They have the highest density of higher plants in Sundaland with an estimated 15,000 flowering species. There are over 3,000 species of trees and 59 endemic genera. Mammals are represented by 222 species, 44 of which are endemic, including the Endangered Proboscis Monkey (*Nasalis larvatus*). There are also over 100 amphibians, and 394 fish, of which 19 are endemic. Borneo has a total of 688 bird species, 59 of them endemic. However, only one bird family is endemic to the island, the Pityriasidae, represented by a single species, the Bornean Bristlehead (*Pityriasis gymnocephala*).

Sumatra (427,300 square kilometers) is dominated by the Barisan Mountain range, a volcanic arc running the entire length of the island. The highest peak is the active volcano of Mount Kerinci at 3,805 meters above sea level. There is a broad coastal plain to the east of the Barisan Mountains forming extensive swamps, and to the west there is a narrow coastal plain. There are an estimated 50 million people on Sumatra, with the indigenous groups dominated by the Acehnese in the north, Batak in the interior, and the Minangkabau along the coasts. Sumatra is the only place on Earth where tiger (*Panthera tigris*), rhinos (*Dicerorhinus sumatrensis*), elephant (*Elephas maximus*) and orangutans (*Pongo abelii* and the recently described and extremely endangered *Pongo tapanuliensis*) coexist. There are 15,000 known plants on Sumatra (including 17 endemic genera), 201 mammals, of which at least nine are endemic, and 580 birds, including at least 21 endemics.

Java (126,700 square kilometers), like Sumatra, is a volcanic arc formed from the Java subduction zone. Its coastal zones are similarly broad on the Sunda Shelf side of the island and narrow on the Southern Australia Plate side. The volcanoes of the interior are more

Pongo pygmaeus wurmbii
Southwest Bornean Orangutans • Orangutanes de Borneo Meridional
Borneo, Indonesia • Borneo, Indonesia
IÑAKI RELANZÓN

los bosques más antiguos de la Tierra y se cree que tienen 130 millones de años de antigüedad. Estos bosques tienen la mayor densidad de plantas en la Región de la Sonda y un estimado de 15,000 especies florales. Existen más de 3,000 especies de árboles y 59 géneros endémicos. Los mamíferos están representados por 222 especies, 44 de las cuales son endémicas entre las que se encuentra el Mono Narigudo (*Nasalis larvatus*). También hay más de 100 anfibios y 349 peces de los cuales 19 son endémicos. Borneo tiene un total de 688 especies de aves, 59 endémicas. A pesar de ello, existe solamente una familia endémica a la isla, la Pityriasidae representada por una sola especie, el Gimnocéfalo de Borneo (*Pityriasis gymnocephala*).

Sumatra (427,300 kilómetros cuadrados) está dominada por la Cordillera de Barisan, un arco volcánico que atraviesa la isla entera. El pico más alto es el volcán activo Monte Kerinci, con 3,805 metros sobre el nivel del mar. Al este se extiende una amplia planicie costera hasta las Montañas Barisan formando extensos pantanales, y al oeste una estrecha planicie costera. La población de Sumatra se estima en 50 millones de personas. Mientras que el pueblo Acech predomina en el norte, la etnia Batak prevalece en el interior y la cultura Minangkabau en las costas. Sumatra es el único lugar de la Tierra en donde coexisten el Tigre (*Panthera tigris*), el rinoceronte de Sumatra (*Dicerorhinus sumatrensis*), el Elefante Asiático (*Flephas maximus*) y el Orangután de Sumatra (*Pongo abelii* y el recién registrado *Pongo tapanuliensis*). Sumatra cuenta con 15,000 plantas conocidas, entre las que se encuentran 17 géneros endémicos; 201 mamíferos, entre los que por lo menos nueve son endémicos, y 580 aves que incluyen al menos 21 especies endémicas.

Al igual que Sumatra, Java (126,700 kilómetros cuadrados) es un arco volcánico formado por la zona de subducción de Java. Sus franjas costeras son amplias en el lado de la plataforma de la Sonda y estrechas en la plataforma australiana. Aquí los volcanes del interior están más dispersos que en Sumatra y en general más activos. El pico más alto es el Monte Semeru con 3,676 metros. Al este de Java las islas de Bali (5,780 kilómetros cuadrados) y al norte Madura (4,079 kilómetros cuadrados) son islas de reciente separación. Java alberga a 140 millones de personas, la mayoría perteneciente al grupo étnico javanés. Debido a la fertilidad de la tierra, mucha de la vegetación natural ha sido despejada para la agricultura. Java tiene 101 especies de mamíferos, incluyendo 5 endémicas, y 350 aves, 9 de ellas endémicas.

Dicerorhinus sumatrensis
Sumatran Rhinoceros • Rinoceronte Sumatrano
Sepilok Rehabilitation Centre, Sabah, Borneo, Indonesia •
Centro de Rehabilitación Sepilok, Sabah, Borneo, Indonesia

NICK GARBUTT

scattered than on Sumatra and in general are more active, with Mount Semeru the highest peak at 3,676 meters. The islands of Bali (5,780 square kilometers) to the east and Madura (4,079 square kilometers) to the north of Java have only recently broken away from Java. Being so fertile due to volcanic activity, Java is home to over 140 million people, the majority of which are of Javanese ethnicity. Due to its fertility, much of the natural vegetation has been cleared for agriculture. The islands of Java are home to 101 mammal species, including five endemics, and 350 birds, of which nine are endemic.

The Mentawai Islands (6,011 square kilometers) are a group of about 70 islands about 140 kilometers to the west of central Sumatra. There are four main islands, Siberut, Sipora, North Pagai, and South Pagai, with Siberut being the largest at 4,030 square kilometers. About 65,000 people inhabit the islands and are predominantly the indigenous Mentawai people. These islands were separated from Sumatra more than half a million years ago, leading to the evolution of numerous endemic species, including five endemic primate species and six endemic primate taxa overall: Kloss's Gibbon (*Hylobates klossii*), the Pig-tailed Langur (*Simias concolor* with two subspecies: *concolor* on Pagai Island and *siberu* on Siberut), the Mentawai Langur (*Presbytis potenziani*), the Pagai Macaque (*Macaca pagensis*) and the Siberut Macaque (*Macaca siberu*). Although there are only 44 mammal species, 17 are endemic. Three endemic birds are also found on the islands.

A 140 kilómetros al oeste de Sumatra central se encuentra un grupo de 70 islas, las Mentawai (6,011 kilómetros cuadrados). Son cuatro las islas principales: Siberut, Sipora, Pagai del Norte y Pagai del Sur, siendo la mayor Siberut con 4,030 kilómetros cuadrados. Cerca de 65,000 personas habitan las islas, predominantemente nativos de la etnia Mentawai. Estas islas se desprendieron de Sumatra hace más de medio millón de años provocando la evolución de muchas especies endémicas, entre ellas cinco primates y cuatro subespecies: el Gibón de Kloss (*Hylobates klossii*), el Langur Cola de Cerdo (*Simias concolor* con dos subespecies — *concolor* en la Isla Pagai y *siberu* en Siberut), el Langur Colilargo de Mentawai (*Presbytis potenziani*), el Macaco de Pangai (*Macaca pagensis*) y el Macaco de Siberut (*Macaca siberu*). Solo hay 44 especies de mamíferos y 17 son endémicas. También existen allí tres especies de aves endémicas.

Buceros rhinoceros
Rhinoceros Hornbill • Cálao Rinoceronte
Gunung Palung National Park, Borneo, Indonesia •
Parque Nacional de Gunung Palung, Borneo, Indonesia
TIM LAMAN / NATIONAL GEOGRAPHIC CREATIVE

Nasalis larvatus
Proboscis Monkey • Mono Narigudo
Tanjung Puting National Park, Borneo, Indonesia •
Parque Nacional de Tanjung Puting, Borneo, Indonesia

TOM SCHANDY

Panthera tigris sumatrae
Sumatran Tiger • Tigre Sumatrano
Sumatra, Indonesia • Sumatra, Indonesia
LYNN M. STONE / NATUREPL.COM

Following pages: • *Páginas siguientes:*
Bromo volcano • Volcán de Bromo
Java, Indonesia • Java, Indonesia
IÑAKI RELANZÓN

Wallacea

Wallacea

Olivier Langrand

The Wallace and Lydekker Lines frame the islands of the Wallacea Biodiversity Hotspot, which is located east of the island of Borneo and west of the island of New Guinea. Wallacea is made up of thousands of islands, most of them smaller than 10,000 square kilometers. In total, these islands cover of 338, 800 square kilometers—comparable in size to the Philippines—and are grouped in three biogeographic regions: Sulawesi, Maluku, and the Lesser Sundas. Wallacea is named after the great British naturalist and explorer Alfred Russel Wallace, who collected specimens of the flora and fauna extensively in this region at the end of the 19th century and discovered the clear demarcation between the Oriental and Australian biogeographic regions. Humans have had a presence on these islands for more than 40,000 years. Many endemic species are highly vulnerable to human activities such as urbanization, agriculture, mining and forest exploitation, and are at risk of extinction.

Sulawesi, together with the Sangihe-Talaud Archipelago and the Togian, Banggai, and Sula island groups, has the largest land area (186,000 square kilometers). Maluku (70,000 square kilometers) is composed of the islands of Halmahera, Bacan, Obi, Seram, Buru, Tanimbar, Banda, and Kai, and five main islands make up the Lesser Sundas (81,000 square kilometers): Lombok, Sumbawa, Sumba, Flores, and Timor.

Tarsius sp.
Sulawesi Tarsier • Tarsero de Sulawesi
Sulawesi, Indonesia • Sulawesi, Indonesia
STEVE BLOOM IMAGES / ALAMY STOCK PHOTO

Localizadas al este de Borneo y al oeste de la isla de Nueva Guinea, las líneas biogeográficas de Wallace y Lydekker enmarcan a las islas del Hotspot de Biodiversidad Wallacea. La región está conformada por miles de islas, la mayoría de ellas menores a 10,000 kilómetros cuadrados. En conjunto, estas islas suman una superficie de 338,800 kilómetros cuadrados —comparable en tamaño con las Filipinas— y están agrupadas en tres regiones biogeográficas: Islas Célebes, islas Molucas y las Islas Menores de la Sonda. Wallacea recibe el nombre del explorador naturalista Alfred Russel Wallace, quien recolectó especímenes de flora y fauna de la región hacia fines del siglo XIX, y quien descubrió la clara delimitación entre las regiones biogeográficas oriental y la región australiana. La presencia humana en estas islas data de 40,000 años. Muchas especies endémicas son extremadamente vulnerables a las actividades humanas como la urbanización, la agricultura, la minería y la explotación forestal.

Las Célebes junto con el Archipiélago de Sangihe y Talaud, las Islas Togean, las Banggai y las Sula, reúnen la mayor extensión (186,000 kilómetros cuadrados). Las Malucas (70,000 kilómetros cuadrados) comprenden las islas de Halmahera, Bacan, Obi, Seram, Buru, Tanimbar, Banda y la isla de Kai. Las Sondas Menores (81,000 kilómetros cuadrados) están formadas por cinco islas llamadas Lombok, Sumbawa, Sumba, Flores y Timor.

La compleja historia geológica de Wallacea produjo islas oceánicas jóvenes formadas por piedra caliza (por ejemplo, Lombok y Flores) y otras que resultaron de la fragmentación de la corteza terrestre (Sumba y Timor); o incluso islas compuestas que habiendo tenido diferente origen fueron unidas por la acción tectónica (el caso de las Célebes y de Halmahera).

Wallacea's complex geological history created young oceanic islands ringed by limestone (e.g., Lombok and Flores), continental crustal fragments (e.g., Sumba and Timor), and composite islands whereby different islands joined due to tectonic action (e.g., Sulawesi and Halmahera).

Isolation and periodic reconnection of some of these islands with Australia and New Guinea have strongly influenced their faunal and floral speciation. Plant diversity is high, about 10,000 species, but the level of endemism is a modest 15 percent. Three endemic trees are listed as Critically Endangered as a result of habitat loss: *Shorea selanica* from Maluku, *Shorea montigena* from Maluku and Sulawesi, and *Vatica flavovirens* from Sulawesi.

Diversity and endemism are high among the vertebrate groups. A total of 222 terrestrial mammal species have been recorded from the islands of Wallacea, 127 (57 percent) of which are endemic. Iconic species include the three species of babirusa, among them the Endangered Togian Islands Babirousa (*Babyrousa togeanensis*), and the two species of anoa, the Lowland Anoa (*Bubalus depressicornis*) and the Mountain Anoa (*Bubalus quarlesi*), both Endangered, eleven species of tarsier (*Tarsius* spp.), all threatened, and seven species of macaque, including the Critically Endangered and endemic Celebes Crested Macaque (*Macaca nigra*). The avifauna is rich—711 species, 274 (40 percent) of which are endemic. Some of these are globally threatened, such as the Critically Endangered Flores Hawk-eagle (*Nisaetus floris*). Reptiles are represented by 222 species, 99 (44 percent) of which are endemic, with the number-one flagship species being the Vulnerable Komodo Dragon (*Varanus komodoensis*), endemic to the islands of Komodo, Flores, Rinca, and Padar. Among the 48 species of amphibians recorded from these islands, a few, such as the Endangered Djikoro Wart Frog (*Limnonectes arathooni*) that is endemic to southwestern Sulawesi, are globally threatened.

Nisaetus floris
Flores Hawk-eagle •
Águila-halcón de Flores
Indonesia • Indonesia

ALAN LEWIS

El periódico aislamiento y eventual reconexión de algunas de estas islas con Australia y con Nueva Guinea ha influenciado grandemente su especiación faunística y floral. Con alrededor de 10,000 especies, la diversidad botánica es alta, aunque el índice de endemismo es modesto (15 por ciento). Como resultado de la pérdida de hábitat, tres especies arbóreas endémicas han sido listadas en Peligro Crítico de Extinción: la Shorea selanica de las Molucas; la Shorea montigena de las Célebes y las Molucas, y la Vatica flavovirens de las Célebes.

Entre los vertebrados la diversidad y el endemismo son altos. Se han registrado un total de 222 mamíferos terrestres en Wallacea, 127 de los cuales (57 por ciento) son endémicos. Entre las especies emblemáticas se tiene a tres especies del género Babirousa: la Babirusa de las Islas Togian (*Babyrousa togeanensis*) actualmente Amenazada, y dos especies de anoas: el Anoa de Llanura (*Bubalus depressicornis*) y el Anoa de Montaña (*Bubalus quarlesi*), ambas Amenazadas. También once especies de tarseros (*Tarsius spp.*), todas ellas Amenazadas. Además, siete especies de macacos, incluyendo al Macaco Negro Crestado de las Célebes, endémico y en Peligro Crítico. La región es rica en avifauna con 711 especies, 274 de las cuales (40 por ciento) son endémicas. Algunas de estas especies son mundialmente amenazadas, como el Azor de Flores (*Nisaetus floris*) en Peligro Crítico. Aquí los reptiles están representados por 222 especies. 99 de estas especies son endémicas (44 por ciento), con el Dragón de Komodo (*Varanus komodoensis*) como principal especie emblemática, endémico de las islas de Komodo, Flores, Rinca y Padar. De las 48 especies de anfibios registrados en estas islas, algunos de ellos como la Rana Berrugosa de Djikoro (*Limnonectes arathooni*), son endémicos del suroeste de las Célebes y se encuentran Amenazados a nivel global.

Muchas de estas especies no solamente son endémicas del Hotspot de Biodiversidad Wallacea, sino que a menudo son exclusivos de una sola isla o cordillera montañosa. Algunas especies son altamente especializadas como es el caso del Talégalo Maleo (*Macrocephalon maleo*), Amenazado. Esta ave endémica que se encuentra en las Célebes y en la isla Buton tiene la particularidad de buscar sitios donde el suelo volcánico es calentado por la actividad geotérmica para excavar profundos agujeros en donde las hembras ponen un solo huevo grande, para posteriormente cubrirlo con arena y abandonarlo. Los progenitores del Talégalo Maleo nunca ven eclosionar sus huevos, ni alimentan o crían

Macaca nigra
Celebes Crested Macaque • Macaco Negro Crestado
Sulawesi, Indonesia • Sulawesi, Indonesia

IÑAKI RELANZÓN

Many of the species are endemic not just to the Wallacea Biodiversity Hotspot but to single islands or individual mountain ranges. Some species are highly specialized, such as the Endangered Maleo (*Macrocephalon maleo*). This endemic bird, found on Sulawesi and Buton Island, has the particularity of searching out areas of volcanic soil that are heated by natural geothermal activity. Once found, the female digs a deep hole and lays a very large egg in it, refills the hole to cover the egg and then abandons it. Maleo parents never see their egg hatching, feed their baby or raise their young as most birds do. About 80 days later, baby Maleo dig their way up to the surface as a baby sea turtle would. Once at the surface, they are on their own, their survival depending on their instinctive skills.

a sus polluelos como lo hacen casi todas las aves. Al salir a la superficie, los polluelos están solos y su supervivencia depende de sus habilidades instintivas.

Macrocephalon maleo
Maleo • Maleo
Sulawesi, Indonesia • Sulawesi, Indonesia
ALAIN COMPOST / BIOSPHOTO

Babyrousa celebensis
North Sulawesi Babirusa (Captive) •
Babirusa del Norte de Sulawesi (En cautiverio)
Sulawesi, Indonesia • Sulawesi, Indonesia

NICK GARBUTT

Varanus komodoensis
Komodo Dragon • Dragón de Komodo
Komodo National Park, Indonesia •
Parque Nacional de Komodo, Indonesia

STEFANO UNTERTHINER / NATIONAL GEOGRAPHIC CREATIVE

The Philippines
Las Filipinas

Thomas M. Brooks, Nina R. Ingle, and Sheila Vergara

The Philippine archipelago is on the eastern margin of Asia, adjacent to Indonesia and Malaysia to the southwest and to China and Vietnam to the northwest. Wholly tropical, it lies between 5°N and 21°N. It consists of 7,641 islands totalling 343,448 square kilometers, the largest being Luzon (109,965 square kilometers) and Mindanao (97,530 square kilometers). The islands have a volcanic origin—land masses rose out of the sea 0.5–20 million years ago—and today at least 21 volcanoes are still active. There is high geographic relief; the highest point is Mount Apo on Mindanao, at 2,954 meters. Annual average rainfall is relatively high, ranging from 1,000 millimeters in drier areas to 4,000 millimeters in wetter areas in the east. The country is hit by an average of ten tropical cyclones each year, which can be very destructive; their frequency and intensity appear to be increasing with climate change. This island nation holds a human population of about 106 million.

Given the geographic complexity, the Philippines have served as a cradle of adaptive radiation of species arriving from the north, west, and south over geological time. The Philippines have more than 10,000 vascular plant species, and approximately 1,118 vertebrate species, about 594 of which are endemic (50 percent). Endemism rates are lower for higher taxonomic groups like birds and mammals but the Philippines hold some endemic genera of which the best-known is the Philippine Eagle (*Pithecophaga jefferyi*). In the ocean, the Philippines'

El Archipiélago de las Filipinas se encuentra en el extremo oriental de Asia, y colinda con Indonesia y Malasia al suroeste y con China y Vietnam al noroeste. Completamente tropical, se ubica entre los 5° N y los 21°N. Está conformado por 7,641 islas que suman 343,448 kilómetros cuadrados; Luzón (109,965 kilómetros cuadrados) y Mindanao (97,530 kilómetros cuadrados) son por mucho, las más extensas. El archipiélago es de origen tanto volcánico como de masas continentales que emergieron entre 0.5 y 20 millones de años atrás, y despliega por lo menos 21 volcanes activos. Con una geografía de altos relieves, el pico más alto es el Monte Apo en Mindanao, con 2,954 metros. La elevada precipitación anual promedia entre 1,000 milímetros en las zonas áridas y unos 4,000 milímetros en la parte oriental. Filipinas es sacudida por un promedio anual de cuatro ciclones tropicales que pueden llegar a ser muy destructivos, y su intensidad y frecuencia parecen incrementarse con el cambio climático. Esta nación insular alberga a una población de aproximadamente 106 millones de personas.

Por su complejidad geográfica, las Filipinas han servido de nicho para la radiación adaptativa de muchas especies venidas del norte, oeste y sur durante diferentes eras geológicas. Existen más de 10,000 especies de plantas vasculares y unas 1,118 especies de vertebrados, 594 (50 por ciento) de ellas endémicas. Aunque en general la tasa de endemismo en grupos taxonómicos más elevados tiende a ser más baja, las Filipinas tienen algunos géneros endémicos muy conocidos como el Águila Filipina (*Pithecophaga jefferyi*). Además, los arrecifes que circundan las islas están entre los más ricos en especies marinas, especialmente peces rivereños.

Históricamente, las Filipinas estuvieron casi completamente cubiertas por selva tropical, y hacia 1875 aún se conservaban alrededor del

Pithecophaga jefferyi
Philippine Eagle • Águila Filipina
Mindanao Island, Phlippines • Isla Mindanao, Filipinas

fringing reefs have the highest species richness, particularly for marine shore fishes, of any marine environment.

Historically, the Philippines were almost entirely covered by tropical rainforest, and about 70 percent of the land area was still covered by forest in 1875. Logging coupled with clearance for agriculture decimated the remaining forests to 50 percent of the total area in 1950 and 22 percent in 1987; today only 8 percent of forest cover remains. Some islands have been almost completely deforested: the 4,468-square-kilometer island of Cebu retains only 15 square kilometers of forest. Limestone karsts, which are high in endemic biodiversity in surface flora and fauna and also cave fauna, are under threat especially from limestone quarrying and land conversion.

Wholesale ecosystem conversion has been compounded as a threat to Philippine biodiversity by unsustainable hunting and collection for the domestic and international pet trade. Invasive species have been particularly problematic in freshwater, driving the extinction of 16 of the 18 freshwater fish species of Lake Lanao, on Mindanao, for example. The Philippines are considered both a biodiversity hotspot and a megadiversity country, and 228 terrestrial, freshwater, and marine key biodiversity areas have been identified within the country. No less than 793 of Philippine species are threatened with extinction.

Fortunately, a combination of indigenous, civil society, and government conservation efforts are underway to safeguard biodiversity across the archipelago. In total, 559 protected areas have been established in the country. National laws also protect wildlife and caves, although there is often poor awareness of laws and enforcement of them. About 1,000 marine protected areas have been established in Philippine waters, mostly community-managed, but 90 percent are less than 0.5 square kilometers, and levels of protection vary.

Indigenous peoples have legal rights to their ancestral domain and the responsibility to protect biodiversity based on a government mandated Ancestral Domain Sustainable Development and Protection

70 por ciento de estos bosques. Hacia 1950, la tala y clareo para agricultura arrasó con el 50 por ciento del bosque restante, y el 22 por ciento para 1987. Actualmente sólo subsiste el 8 por ciento del bosque húmedo. Algunas de las islas han sido casi totalmente deforestadas, como la isla Cebú que tan solo conserva 15 de sus 5,088 kilómetros cuadrados de extensión. Las calizas kársticas que suelen presentar una alta biodiversidad endémica de flora y fauna en las grutas, están siendo amenazadas por la explotación de las canteras y por los cambios de uso del suelo.

La conversión masiva de ecosistemas que amenaza la biodiversidad de las Filipinas se ve exacerbada por la caza no-sustentable y la recolección de mascotas para el comercio doméstico e internacional. Las especies invasivas son particularmente problemáticas en el medio dulceacuícola, causando la extinción de 16 de las 18 especies del Lago Lanao, en Mindanao. Las Filipinas son consideradas tanto un hotspot de biodiversidad como un país mega-diverso en el que se han identificado 228 áreas de biodiversidad terrestres, marinas y dulceacuícolas, en donde por lo menos 793 especies se encuentran Amenazadas de Extinción.

Por fortuna se han puesto en marcha una combinación de esfuerzos locales, de la sociedad civil y gubernamental para salvaguardar la biodiversidad del archipiélago. Se han establecido un total de 559 áreas protegidas a lo largo del país. La legislación nacional también protege la vida salvaje de las grutas, aunque a menudo existe poca conciencia y débil aplicación de la ley. Se han establecido alrededor de 1,000 áreas marinas protegidas en aguas filipinas, la mayor parte gestionada por la comunidad. El 90 por ciento de éstas áreas protegidas son menores a 0.5 kilómetros cuadrados y el nivel de protección es variable.

Por mandato gubernamental y basado en un Plan de Desarrollo Sostenible y Protección de los Dominios Ancestrales, los pueblos originarios tienen derecho a sus dominios ancestrales y la responsabilidad de proteger la biodiversidad, aunque la pertinencia del proceso de planeación haya sido cuestionada. La conservación comunitaria organizada por la Fundación Katala de la Isla Rasa ha logrado quintuplicar el incremento poblacional de la Cacatúa Filipina (*Cacatua haematuropygia*) que se encuentra en Peligro Crítico de Extinción. En Luzón, la Fundación Mabuwaya que trabaja con el pueblo Agta y el gobierno local, han logrado éxitos similares en la conservación del Cocodrilo de

Cacatua haematuropygia
Philippine Cockatoo • Cacatúa Filipina
Narra, Palawan, Philippines • Narra, Palawan, Filipinas
BENEDICT DE LAENDER

Crocodylus mindorensis
Philippine Crocodile • Cocodrilo de Filipinas
Philippines • Filipinas
ROD WILLIAMS / AUSCAPE

Plan, although the appropriateness of the planning process has been questioned. Community conservation led by the Katala Foundation on Rasa Island has driven five-fold local population increases of the Critically Endangered Philippine Cockatoo (*Cacatua haematuropygia*). On Luzon, the Mabuwaya Foundation working with the indigenous Agta people and the local government has achieved similar success in the conservation of the Critically Endangered Philippine Crocodile (*Crocodylus mindorensis*). The Philippine Eagle, also Critically Endangered, is benefitting from attention from the Philippine Eagle Foundation while the Philippine Biodiversity Conservation Foundation spearheads conservation on Cebu and elsewhere.

Networking among biodiversity researchers and conservation practitioners has been promoted by membership organizations such as the Biodiversity Conservation Society of the Philippines, the Philippine Association of Marine Science, and the Wild Bird Club of the Philippines. Grants for environmental conservation projects are given by the Foundation for the Philippine Environment (founded in 1992) and the Forest Foundation Philippines (founded in 2002), both with funds from debt-for-nature agreements.

In sum, while the challenges remain formidable, hope is emerging for the long-term persistence of the exceptional and unique biodiversity of the Philippines.

Mindoro (*Crocodylus mindorensis*) también en Peligro Crítico. El Águila Filipina también en Peligro Crítico, se está viendo beneficiada por la Fundación Filipina del Águila, mientras que la Fundación para la Conservación de la Biodiversidad de las Filipinas es punta de lanza en la Isla Cebú y otras.

La creación de redes entre investigadores de la biodiversidad y practicantes conservacionistas han sido promovida por organizaciones compuestas por miembros, como la Sociedad para la Conservación de la Biodiversidad de las Filipinas; la Asociación Filipina de Ciencias Marinas, y el Club de Aves Silvestres de Filipinas. Se han otorgado fondos para los proyectos de conservación del medio ambiente por la Foundation for the Philippine Environment (fundada en 1992) y por la Forest Fundation Philippines (fundada en 2002), ambos provenientes de los acuerdos de "deuda-por-naturaleza".

En suma, mientras que los retos son aún enormes, la esperanza resurge mientras se busca la permanencia de la única y excepcional biodiversidad de Filipinas.

Megophrys ligayae
Palawan Horned Frog • Rana Cornuda de Palawan
Palawan, Philippines • Palawan, Filipinas

ROBIN MOORE

Following pages: • Páginas siguientes:
Chocolate Hills • Colinas de Chocolate
Bohol, Philippines • Bohol, Filipinas

DAVID NOTON / NATUREPL / NATURE IN STOCK

Melanesia
Melanesia

Bruce M. Beehler

Melanesia is the name for the islands of the Southwest Pacific, from New Guinea eastward and southward through the Bismarck Islands, the Solomons, Vanuatu, Fiji, and New Caledonia. Melanesia lies to the south of Micronesia and to the west of Polynesia and is named for its dark-skinned indigenous peoples (*"melan-"* = black). It lies on the Pacific Rim of Fire and thus is home to scores of active volcanoes and experiences regular plate-edge earthquakes. What is more, it also has the richest biodiversity and by far the highest human ethnic and linguistic diversity of any island group on Earth, with an estimated 1,350 traditional languages still spoken there (out of a global total of just under 7,000).

New Guinea (785,000 square kilometers) is the largest tropical island and the highest island, and among all exceeded in size only by the ice-bound Greenland. It is about twice the size of California, with its highest mountain, Puncak Jaya of the Sudirman Range, reaching 4,884 meters, and hosting several small tropical alpine glaciers. It is the highest peak between the Andes and the Himalaya. This very mountainous island is largely cloaked in equatorial forest and boasts the largest contiguous tract of old-growth humid forest in the Asia-Pacific region. Sitting atop the northern edge of the Australian plate, New Guinea's biodiversity is truly spectacular, and supports 630 breeding bird species, an estimated 300,000+ species of arthropods, and as many as

Brachylophus vitiensis
Fijian Crested Iguana • Iguana Crestada de Fiyi
Fiji Islands, Melanesia • Islas Fiyi, Melanesia
TIM LAMAN / NATIONAL GEOGRAPHIC CREATIVE

Melanesia es el nombre dado a la región de las islas del Pacífico Sudoccidental, desde Nueva Guinea en el sureste, pasando por el Archipiélago Bismarck, las Islas Salomón, Vanuatu, Fiyi y Nueva Caledonia. Melanesia yace al sur de Micronesia y al oeste de Polinesia. El nombre es indicativo del color obscuro de la piel de los pueblos originarios ("melos-" = negro). Se localiza en el Cinturón de Fuego del Pacífico, zona volcánica activa que regularmente experimenta sismos propios de los bordes de las placas tectónicas. También presenta una abundante biodiversidad y por mucho, la mayor diversidad étnica y lingüística de cualquier grupo de islas del mundo, con alrededor de 1,350 lenguas vivas tradicionales (de un total global de poco menos de 7,000).

Nueva Guinea (785,000 kilómetros cuadrados) es la isla tropical más grande y alta. Sólo la excede en tamaño la gélida Groenlandia. Tiene cerca del doble de la extensión del California, y en las Montañas Sudirman se encuentra el pico insular más alto del mundo, el Monte Jaya (4,884 metros), en donde hay pequeños glaciares alpinos tropicales. Esta saliente es el pico más alto ubicado entre Los Andes y los Himalayas. Esta isla montañosa está cubierta en su mayoría por bosque ecuatorial y ostenta el mayor bloque de bosque húmedo primario de la región Asia-Pacífico. Situada en el extremo norte de la plataforma australiana, la biodiversidad de Nueva Guinea es realmente espectacular, con más de 300,000 especies de artrópodos y alrededor de 25,000 especies de plantas vasculares, además de ser el sitio de anidación para 630 especies de aves. En cuanto al medio marino, Nueva Guinea está flanqueada por los arrecifes de mayor biodiversidad de la Tierra en las Islas Raja Ampat y las islas de la Bahía de Milne. Finalmente, existen evidencias de que la ocupación humana de esta gran isla data de 47,000 años atrás.

25,000 species of vascular plants. On the marine side, the most biodiverse reefs on Earth are found on the two ends of New Guinea, in the Raja Ampat Islands and the Milne Bay Islands. Finally, there is evidence of human occupation on this great island tracing back 47,000 years.

Just east of New Guinea, the Bismarck Archipelago includes New Britain (35,742 square kilometers) and New Ireland (7,174 square kilometers), the second and fourth largest islands in Melanesia. These are like small versions of New Guinea, but because of their oceanic isolation from the Australian plate, they are not nearly as biodiverse.

The Solomon Island chain lies southeast of the Bismarck Islands, and includes eight major islands and scores of smaller ones. Physiographically and biologically, the Solomons have much in common with the Bismarcks as well as with the islands of Vanuatu to the south and east. Bougainville Island (9,318 square kilometers) is the largest and highest (2,685 meters) of the Solomons, with Guadalcanal (5,333 square kilometers) the second largest. The islands of Bougainville and Buka in the north are politically part of the country of Papua New Guinea, as are New Britain and New Ireland. The other Solomons make up the country of Solomon Islands (28,400 square kilometers). Vanuatu (formerly the New Hebrides; 12,189 square kilometers) is a mountainous island group much like the Solomons, but with smaller and lower islands. This group is famed for its ethnic and linguistic diversity, which, at about 115 languages still spoken in an area the size of the American state of Connecticut, is the highest per unit area of linguistic diversity on Earth. New Britain, Bougainville, and Tanna Island in Vanuatu have active volcanoes.

New Caledonia, formerly a French overseas territory and now a "Special Collectivity", is dominated by a single large mountainous island, Grande Terre (16,595 square kilometers). Nearby are the affiliated Loyalty Islands, the Isle of Pines, and several other smaller island groups. Unlike the islands to the northwest, New Caledonia is a fragment of the former continent of Gondwana, and, given its great age, is striking in its

Mount Bagana • Monte Bagana
Bougainville Island, Solomon Islands, Papua New Guinea •
Isla Bougainville, Islas Salomón, Papúa Nueva Guinea
GEORGE STEINMETZ / NATIONAL GEOGRAPHIC CREATIVE

Al este de Nueva Guinea, el Archipiélago de Bismarck comprende las islas de Nueva Bretaña (35,742 kilómetros cuadrados) y Nueva Irlanda (7,174 kilómetros cuadrados), segunda en extensión de las cuatro grandes islas de la Melanesia. Siendo como pequeñas versiones de Nueva Guinea, no presentan una biodiversidad muy alta por su aislamiento oceánico de la plataforma continental australiana.

La cadena de Islas Salomón se ubica al sureste de las Islas Bismarck e incluye a ocho grandes islas, y a otras más pequeñas. Tanto biológica como fisiográficamente, las Islas Salomón tienen mucho en común con las Islas Bismark y con las Islas Vanuatu al sur y al este. La isla Bougainville (9,318 kilómetros cuadrados) es la mayor y más alta (2,685 metros) de las Salomón, seguida por Guadalcanal (5,333 kilómetros cuadrados). Las islas Bougainville y Buka al norte son parte de Papúa Nueva Guinea, lo mismo que Nueva Bretaña y Nueva Irlanda. Las demás islas conforman el estado nación Islas Salomón (28,400 kilómetros cuadrados). Vanuatu (antes Nuevas Hébridas; 12,189 kilómetros cuadrados) es un grupo de islas montañosas parecidas a las Islas Salomón, pero con islas más pequeñas y de menor elevación. Famosas por su diversidad étnica y lingüística, además de contar con 115 lenguas vivas concentradas en un área similar al estado de la Unión Americana de Connecticut, constituye la zona de mayor diversidad lingüística en la Tierra por unidad de superficie. Nueva Bretaña, Bouganville y Tanna en Vanuatu, todas tienen volcanes activos.

Anteriormente territorio francés, actualmente Nueva Caledonia es una "colectividad especial" dominada por la gran isla montañosa llamada Grande Terre (16,595 kilómetros cuadrados). A poca distancia se encuentran las islas afiliadas de Loyalty, Pines y otros grupos de islas más pequeñas. A diferencia de otras islas al noroeste, Nueva Caledonia es un fragmento del antiguo súper-continente de Gondwana, y como resultado de su antigüedad son muy notables los niveles extremadamente altos de endemismo de plantas y animales. Entre los más famosos se encuentran las 20 especies de pinos del género *Araucaria* que en esta isla exhibe su más alta diversidad. Existen cinco familias de especies endémicas en Nueva Caledonia, un número excepcionalmente alto comparable al de Madagascar, una isla mucho mayor. Nueva Caledonia es también famosa por una de las aves endémicas más peculiares, el Kagú (*Rhynochetos jubatus*), miembro único de la familia Rhynochetidae.

Chief Timon Tumbu Huli Wigman in ceremonial dress with plumes of birds of paradise, parrots and lorikeets • Jefe Timon Tumbu Huli Wigman en traje ceremonial con plumas de ave del paraíso, loros y pericos
Tari Valley, Papua New Guinea • Valle de Tari, Papúa Nueva Guinea

NICK GARBUTT

Paradisaea raggiana
Raggiana Bird-of-Paradise • Ave del Paraíso Raggiana
Kiburu Forest, Papua New Guinea • Bosque de Kiburu, Papúa Nueva Guinea

TIM LAMAN / NATIONAL GEOGRAPHIC CREATIVE

extremely high endemism of plants and animals. Most famous among these are the ancient coniferous *Araucaria* trees that, with 20 species, are the most species rich group on this island. Fourteen of them are endemic. In total, there are five endemic plant families on New Caledonia, an exceptionally high number, comparable to the much larger island of Madagascar. New Caledonia is also famous for its most bizarre endemic bird, the Kagu (*Rhynochetos jubatus*), the sole existing member of the bird family Rhynochetidae.

Fiji, sometimes considered a transitional portion of Polynesia, is a group of volcanic, mountainous islands (18,300 square kilometers) with considerable endemism. Ten of them are permanently inhabited. There are two main islands, Viti Levu (4,011 square kilometers) and Vanua Levu (2,157 square kilometers), and 328 lesser islands. Fiji is home to the Critically Endangered Fijian Monkey-faced Bat (*Mirimiri acrodonta*) and a group of iguanas, genus *Brachylophus*, that now number four species, the closest relatives of which are in South America, the Galápagos Islands, and the Caribbean.

Fiyi, considerada a veces como el extremo transicional de la Polinesia, está formada por un grupo de islas volcánicas montañosas (18,300 kilómetros cuadrados) con un considerable endemismo. Diez de ellas tienen habitantes permanentes; dos islas principales —Viti Levu (4,011 kilómetros cuadrados) y Vanua Levu (2,157 kilómetros cuadrados)—, además de 328 islas más pequeñas. En Fiyi reside el Murciélago Cara-de-mono de Fiyi (*Mirimiri acrodonta*) en Peligro Crítico de Extinción, además de un grupo de iguanas del género *Brachylophus* que hasta hoy consta de cuatro especies, y cuyos parientes más cercanos se encuentran en Sudamérica.

Candoia paulsoni
Solomon Islands Ground Boa • Boa de Tierra de las Islas Salomón
Solomon Islands • Islas Salomón

ROBIN MOORE

Litoria sp. nov.
Long-nosed Tree Frog • Rana de Árbol de Nariz Larga
Foja Mountains, Papua, Indonesia • Montañas Foja, Papúa, Indonesia

TIM LAMAN / NATIONAL GEOGRAPHIC CREATIVE

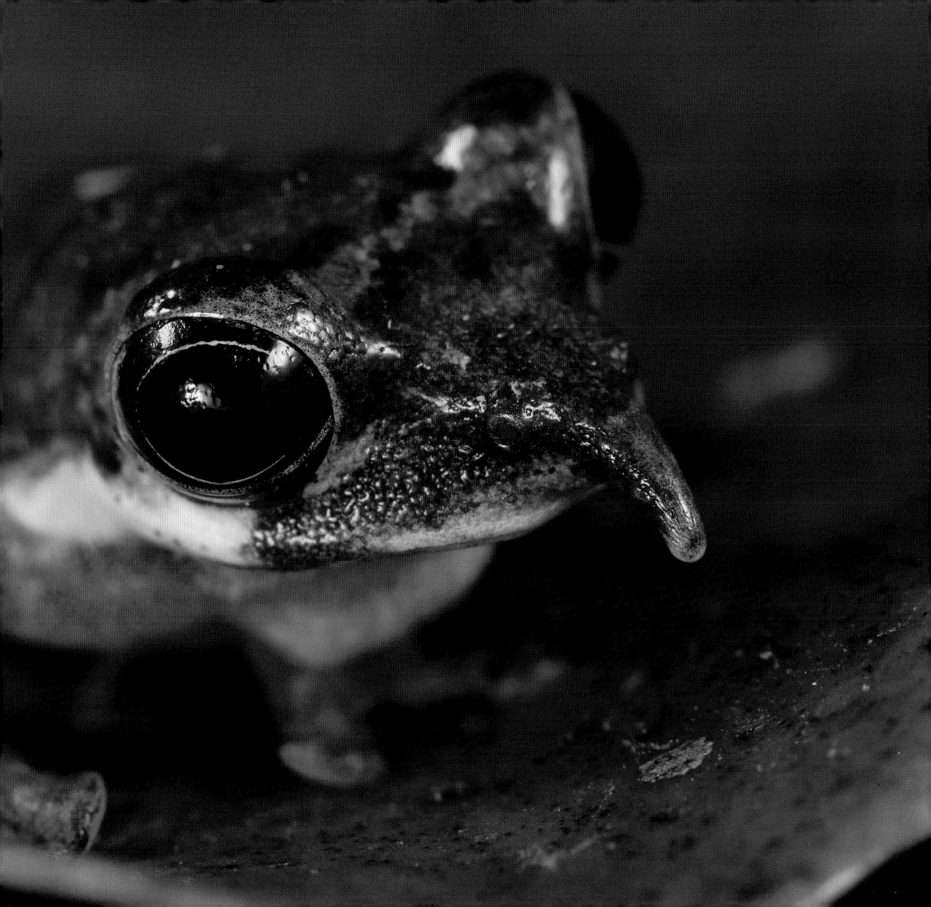

Aerial view of the Raja Ampat Islands, sand cays and lagoons •
Vista aérea de las islas de Raja Ampat, cayos de arena y lagunas
New Guinea • Nueva Guinea

JÜRGEN FREUND

124

New Zealand and Australian Islands
Nueva Zelanda e Islas Australianas

Nick D. Holmes

In the southwestern extremity of Polynesia lies a region often referred to as Oceania, including New Zealand, and the islands of Eastern Australia. The first people to settle New Zealand were Polynesians, who arrived by way of Tahiti between 1250-1300 BP. They evolved into the distinct culture of Māori, which still thrives today. The Māori call New Zealand Aotearoa, which means the "land of the long white cloud". Geologically, New Zealand is a remnant of Gondwana, and later Zealandia, the primarily submerged continent from which New Caledonia also developed. Two major islands constitute the bulk of the New Zealand landmass, extending over 1,500 kilometers. Steep mountain ranges dominate the South Island, including glaciated fjordland, and volcanism dominates the North Island. This varied topography and the wide variation in latitude generated a broad range of habitats, from high alpine tundra to tropical broadleaf forests. Like oceanic islands around the world, the only native land mammals are bats. Birds dominate the evolutionary history of New Zealand, including the emblematic kiwis and the remarkable Critically Endangered Kākāpō (*Strigops habroptila*), a flightless, nocturnal parrot which uses a 'boom' call to attract mates.

More than 600 other islands are bound to New Zealand. These have provided critical refugia to secure populations of birds otherwise lost on the main islands, primarily because of invasive alien mammals and habitat loss. Immediately below the South Island is Stewart Island,

Al extremo suroeste de la Polinesia se encuentra la región a menudo llamada Oceanía, que comprende a Nueva Zelanda y a las Islas del Este de Australia. Los primeros pobladores de Nueva Zelanda fueron los polinesios, quienes llegaron vía Tahití alrededor de 1250-1300 A.C., evolucionando a la actual cultura maorí. Los maoríes llaman Aotearoa a Nueva Zelanda, que significa "tierra de la larga nube blanca". Geológicamente, Nueva Zelanda es parte remanente del súper-continente Gondwana y posteriormente de Zelandia, el sumergido continente primario del que también se formó Nueva Caledonia. Dos grandes masas insulares formaron el grueso de Nueva Zelanda, que se extiende por más de 1,500 kilómetros. En la Isla Sur predominan las cordilleras montañosas, incluyendo glaciares y fiordos, mientras que en la Isla Norte prevalece el vulcanismo. La variada topografía y amplitud de latitudes generan una gran diversidad de hábitats, desde tundra alpina de altura hasta bosques tropicales de hoja ancha. Como en todas las islas oceánicas del mundo, los únicos mamíferos nativos son los murciélagos. Las aves dominan la historia evolutiva de Nueva Zelanda, en donde encontramos a los emblemáticos kiwis y al sorprendente Kákapos (*Strigops habroptila*), una especie de loro nocturno en Peligro Crítico de Extinción, el cual emite un sonido de chasquido muy fuerte para llamar a su pareja.

Más de 600 islas están vinculadas con Nueva Zelanda, pues han constituido un refugio crítico para la seguridad de aves que de otra manera hubieran desaparecido en las islas mayores a causa de las especies de mamíferos invasores y a la pérdida de su hábitat. Contiguo a la Isla Sur se encuentra la isla Stewart, que proporciona un refugio seguro para los animales, entre los que se encuentra el Pingüino de Ojo Amarillo (*Megadyptes antipodes*) Amenazado, y el Kiwi Común (*Apteryx australis*)

Megadyptes antipodes
Yellow-eyed Penguin • Pingüino de Ojos Amarillos
New Zealand • Nueva Zelanda
ART WOLFE

providing safe refuge for animals that include the Endangered Yellow-eyed Penguin (*Megadyptes antipodes*), and the Vulnerable Southern Brown Kiwi (*Apteryx australis*). At the northern extremity lies Kermadec Island, and further south are several subantarctic islands. Some 800 kilometers west lies the Chatham Archipelago of ten islands and home to the Critically Endangered Taiko or Magenta Petrel (*Pterodroma magentae*). Only a handful of nests were once known for this rare seabird, but dedicated conservation action, including predator control and the creation of safe breeding habitat, has allowed their numbers to increase to almost a hundred in the last few decades.

Thousands of continental islands dot the coastline of Australia. Major islands along this coast include Fraser and Stradbroke islands, and numerous smaller islands providing important habitat for seabirds and marine mammals. Almost 1,000 islands are associated with the Great Barrier Reef, which stretches 2,300 kilometers parallel to the Australian coast. Tasmania is the largest Australian island. It was connected to the mainland during the last glacial period, 15,000 years ago, and is surrounded by more than 300 smaller islands greater than one square kilometer. Like mainland Australia, the Aboriginal occupation of Tasmania extends for tens of thousands of years. In the northwest of the island is a Gondwanan temperate rainforest called the Tarkine, the largest in Australia, and covering about 3,800 square kilometers. Tasmania is home to several unique species of flora and fauna, including well-known marsupials, such as the Endangered Tasmanian Devil (*Sarcophilus harrisii*) and the presumed extinct Tasmanian Tiger or Thylacine (*Thylacinus cynocephalus*), the last known individual dying in 1936. Islands on the southern and southwestern coast of Australia provide important refugia for other Australian marsupials, including the Critically Endangered Kangaroo Island Dunnart (*Sminthopsis fuliginosus aitkeni*) on Kangaroo Island, and emblematic Quokka (*Setonix brachyurus*) on Rottnest Island. The northwestern coast of Australia has thousands of small desert islands. On the far northern coast of

Vombatus ursinus
Wombat • Wombat
Tasmania, Australia • Tasmania, Australia
ROB BLAKERS

Vulnerable. Hacia el extremo norte se sitúa la Isla Kermadec, y más hacia el sur varias islas subantárticas. Cerca de 800 kilómetros al poniente se encuentra el Archipiélago Chatham, formado por diez islas, sitio en donde habita el Petrel de Taiko (*Pterodroma magentae*), especie en Peligro Crítico de Extinción. Solo se conocían unos cuantos nidos de esta rara ave marina, pero asiduas acciones de conservación por varias décadas, incluyendo el control de depredadores y la creación de hábitats reproductivos seguros, le han permitido incrementar su población a casi cien individuos.

Miles de islas continentales puntean la isla de Australia. En la costa oeste, las islas principales incluyen las islas Fraser y Stradbroke y muchas de las islas menores proveen importantes hábitats para aves y mamíferos marinos. La Gran Barrera de Coral reúne a más de 1,000 islas que se extienden 2,300 kilómetros a lo largo de la costa oriental de Australia. La isla más grande de Australia es Tasmania, que estuvo conectada a tierra firme durante la última glaciación, hace 15,000 años. Esta gran isla está. rodeada por más de 300 pequeñas islas de más de un kilómetro cuadrado. Al igual que Australia continental, la ocupación aborigen de Tasmania se extiende a decenas de miles de años. Al noroeste de la isla se encuentra el bosque pluvial de Gondwanan llamado Tarkine, el más grande de Australia que cubre cerca de 3,800 kilómetros cuadrados. Tasmania alberga varias especies únicas típicas de la flora antártica, conocidos marsupiales como el Demonio de Tasmania (*Sarcophilus harrisii*), Amenazado, y el Lobo de Tasmania o Tilacin (*Thylacinus cynocephalus*), presuntamente extinto y visto por última vez en el medio natural en 1936. La costa noroeste de Australia tiene miles de pequeñas islas desérticas. En el extremo norte de la costa se encuentran las islas Melville, Bathurst y Groote Eylandt, ricas en historia indígena.

Pertenecientes a Australia, las islas oceánicas Lord Howe y Norfolk se encuentran distantes al este. La historia de los asentamientos humanos en Norfolk incluye a los polinesios, luego fue una colonia penal británica y más tarde fue ocupada por los isleños de Pitcairn. La isla Lord Howe es un remanente volcánico entre Nueva Zelanda y Australia. Esta isla montañosa sub-tropical continúa cubierta de bosque y es el hogar de más de 100 especies de plantas endémicas. Actualmente es considerada por la UNESCO como Patrimonio Natural de la Humanidad. Veinte kilómetros al suroeste de la isla Lord Howe se encuentra la

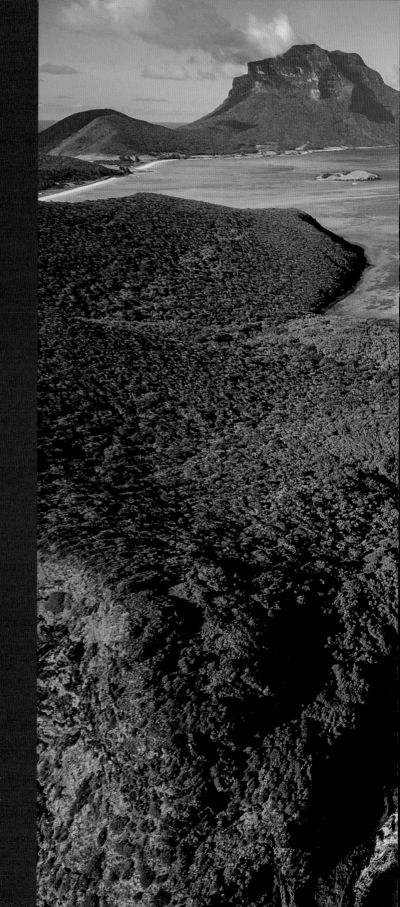

nd Group • Grupo de Islas de Lord Howe
HATTY GOTTSCHALK

Australia lie the major islands of Melville, Bathurst, and Groote Eylandt, rich with indigenous history.

Far to the east of Australia lie the oceanic islands of Lord Howe and Norfolk. Norfolk Island's settlement history includes Polynesians, a penal colony for Britain and, later, occupation by Pitcairn islanders. Lord Howe Island is a volcanic remnant between New Zealand and Australia. This sub-tropical mountainous island remains largely forested and, with more than 100 endemic plants, is today identified as a UNESCO World Heritage Site. Twenty kilometers southeast of Lord Howe Island is Ball's Pyramid, the tallest rock stack in the world, rising to 550 meters and home to the only remaining wild population of the Critically Endangered Lord Howe Island Stick-insect (*Dryococelus australis*).

Pirámide de Ball, el islote rocoso de origen volcánico más alto del mundo, con una altura de 550 metros, que alberga a la única población silvestre del insecto Palo de la Isla Lord Howe (*Dryococelus australis*), una especie en Peligro Crítico de Extinción.

Strigops habroptilus
Kākāpō • Kákapos
Codfish Island, New Zealand • Isla Codfish, Nueva Zelanda

Apteryx rowi
Okarito Brown Kiwi • Kiwi Pardo de Okarito
New Zealand • Nueva Zelanda

TUI DE ROY / NATUREPL / NATURE IN STOCK

Sarcophilus harrisii
Tasmanian Devil • Demonio de Tasmania
Tasmania, Australia • Tasmania, Australia

SEAN CRANE / MINDEN PICTURES

Tasmania • Tasmania
POPP-HACKNER PHOTOGRAPHY

Far Western Pacific Islands
Pacífico Occidental Lejano

Olivier Langrand

In the far Western Pacific lie the four main mountainous islands of Hokkaido (78,073 square kilometers), Honshu (227,414 square kilometers), Shikoku (18,256 square kilometers), and Kyushu (36,554 square kilometers), plus 3,000 additional islands covering a total of 373,490 square kilometers and spanning temperate to subtropical climates such as in the Nansei Shoto (Amami, Okinawa) and the Ogasawara Shoto (Bonin). There are more than 5,600 plant species in this biodiversity hotspot, with high floral diversity and endemism at the family, genus, and species levels. Conversely, the vertebrate fauna is not so rich, although there are numerous vertebrate endemics. Flagship species include the Japanese Macaque (*Macaca fuscata*), the most northern-living non-human primate, the Near Threatened Japanese Giant Salamander (*Andrias japonicus*), the Endangered Amami Rabbit (*Pentalagus furnessi*), and the Vulnerable Short-tailed Albatross (*Phoebastria albatrus*). The human population (127 million) is concentrated on three percent of the land area. Several species went extinct during the 19th century, including the Bonin Grosbeak (*Carpodacus ferreorostris*), the Bonin Thrush (*Zoothera terrestris*), and the Ryukyu Woodpigeon (*Columba jouyi*), lost from sub-tropical Bonin and Ryukyu archipelagos because of habitat destruction and the proliferation of invasive species.

Taiwan (36,210 square kilometers) was formed 4 million years ago and was isolated from the continent approximately 244,000 years

En el Extremo Occidental del Pacífico se encuentran las cuatro grandes islas montañosas de Hokkaido (78,073 kilómetros cuadrados), Honshu (227,414 kilómetros cuadrados), Shikoku (18,256 kilómetros cuadrados) y Kyushu (36,554 kilómetros cuadrados), además de otras 3,000 islas que reúnen un total de 373,490 kilómetros cuadrados. Comprenden climas desde templados a subtropicales como el Nansei Shoto (Amami, Okinawa) y el Ogasawara Shoto (Bonin). En este hotspot de biodiversidad se encuentran más de 5,600 especies de plantas, con una gran diversidad floral y endemismo a nivel de familia, género y especie. La fauna por el contrario no es rica, a pesar de que existen numerosos vertebrados endémicos. Las especies emblemáticas incluyen al Macaco Japonés (*Macaca fuscata*), el primate viviente no-humano más septentrional; la Casi Amenazada Salamandra Gigante Japonesa (*Andrias japonicus*), el Conejo de Amami (*Pentalagus furnessi*) Amenazado, y el Vulnerable Albatros de Cola Corta (*Phoebastria albatrus*). La población humana (127 millones) se concentra en el 3 por ciento de la superficie de las islas. Durante el Siglo XIX varias especies se extinguieron, entre ellas el Picogordo de las Bonin (*Carpodacus ferreorostris*), el Zorzal de Bonin y la Paloma de Banda Plateada (*Columba jouyi*), todas ellas perdidas en los archipiélagos subtropicales de Bonin y Ryukyu debido a la destrucción del hábitat y a la proliferación de especies invasoras.

Taiwán (36,210 kilómetros cuadrados) se formó hace 4 millones de años y se desprendió del continente hace 244,000 años aproximadamente. Se encuentra al sur de Japón y al norte de las Filipinas, separado de China por un estrecho de 130 kilómetros de ancho. Esta isla montañosa tropical y subtropical, con más de 100 picos sobre los 3,000 metros de altura, tiene un importante nivel de diversidad de plantas y vertebrados, así como un alto nivel de endemismo en el que distinguimos

Vulpes vulpes schrencki
Ezo Red Fox • Zorro Rojo de Ezo
Hokkaido Island, Japan • Isla Hokkaido, Japón
MINT IMAGES LIMITED / ALAMY STOCK PHOTO

ago. It lies south of Japan and north of the Philippines and is separated from China by a 130-kilometer-wide strait. This mountainous subtropical to tropical island, with over 100 mountain peaks above 3,000 meters, has significant levels of plant and vertebrate diversity and high levels of endemism, including 22 endemic bird species. Flagship species include the endemic and Near Threatened Mikado Pheasant (*Syrmaticus mikado*) and Swinhoe's Pheasant (*Lophura swinhoii*). Nearly 24 million people inhabit Taiwan, and human population density is high. Habitat loss and the spread of invasive alien species have severely affected Taiwan's natural ecosystems.

Hainan Island (33,920 square kilometers), located in the South China Sea, is part of China but is separated from mainland China by the Qiongzhou Strait. It is an integral part of the Indo-Burma Biodiversity Hotspot. This tropical island, positioned at the southeast edge of the Eurasian Plate, separated from the Asian continent millions of years ago. The coastal plains and the mountains reach up to 1,600 meters and harbor a high level of biodiversity. Over 4,200 plant species have been recorded of which 15 percent are endemic, with especially high endemism among conifers. Flagship species include the Critically Endangered Hainan Gibbon (*Nomascus hainanus*), with only 20 or so remaining, the Hainan Moonrat (*Neohylomys hainanensis*), and the Vulnerable Hainan Partridge (*Arborophila ardens*). Past and present deforestation constitutes the main threat to the biodiversity of this island of over 8 million people.

The 56 Kuril Islands (15,600 square kilometers) are located south of the Kamchatka Peninsula and north of Hokkaido and separate the Sea of Okhotsk from the Pacific Ocean. They are on a belt of geological instability that generated the emergence of 100 volcanoes, 40 of which are active today. The highest volcano, named Alaid, reaches 2,339 meters. Natural habitats under this subarctic climate include meadows, mixed forests, and tundra with limited biodiversity. Very large colonies of sea birds, including Tufted (*Fratercula cirrhata*) and Horned puffins

Syrmaticus mikado
Mikado Pheasant • Faisán Mikado
Taiwan • Taiwán

LARS PETERSSON

22 especies de aves. Las especies emblemáticas de Taiwán incluyen al Faisán Mikado (*Syrmaticus mikado*) Casi Amenazado, y el Faisán de Swinhoe (*Lophura swinhoii*). La isla presenta una elevada densidad poblacional con 24 millones de habitantes. La pérdida de hábitat y la propagación de especies invasoras han tenido un fuerte impacto negativo en sus ecosistemas naturales.

La isla Hainan (33,920 kilómetros cuadrados) está localizada al sur del Mar de China y pertenece a China. Está separada del macizo continental por el Estrecho de Qiongzhou. Hainan es parte integral del Hotspot de Biodiversidad Indo-Burma. Esta isla tropical se localiza en el sureste de la plataforma euroasiática que se desprendió del continente asiático hace millones de años. Las planicies costeras y las montañas que alcanzan los 1,600 metros de altura, son refugio de una gran biodiversidad.

Han sido registradas más de 4,200 especies de plantas, 15 por ciento de ellas son endémicas, particularmente coníferas. Las especies emblemáticas incluyen al Gibón de Hainan (*Nomascus hainanus*) en Peligro Crítico de Extinción (solo unos 20 sobrevivientes); el Gimnuro de Hainan (*Neohylomys hainanensis*) y la Arborófila de Hainan (*Arborophila ardens*) Vulnerable. La principal amenaza a la biodiversidad en esta isla de más de 8 millones de personas la constituye la deforestación, tanto pasada como la actual.

Las 56 Islas Kuril (15,600 kilómetros cuadrados) están localizadas al sur de la Península de Kamchatka y al norte de la isla Hokkaido separando al Mar de Ojotsk del Océano Pacífico. Se ubican sobre un cinturón de inestabilidad geológico generado por la emergencia de 100 volcanes, 40 de los cuales son activos. Alaid, el volcán más alto alcanza 2,339 metros. Los hábitats sub-árticos comprenden praderas, bosques mixtos y tundra, con biodiversidad limitada. En estas islas encontramos extensas colonias de aves marinas, entre ellas el Frailecillo Coletudo (*Fratercula cirrhata*); el Frailecillo Cuerniculado (*Fratercula corniculata*); el Mérgulo Bigotudo (*Aethia pygmaea*); el Alca Unicórnea (*Cerorhinca monocerata*); la Paloma Colombina (*Cepphus columba*); la Perdíz Pardilla (*Brachyramphus perdix*) en estado Casi Amenazado, además de un gran número de colonias de Leones Marinos de Steller (*Eumetopias jubatus*).

Sakhalin (72,492 kilómetros cuadrados) es la isla más grande de Rusia. Allí residen 500,000 personas. Se encuentra en el Mar de Ojostk,

Grus japonensis
Red-crowned Cranes • Grullas de Cresta Roja
Hokkaido Island, Japan • Isla Hokkaido, Japón

ART WOLFE

(*Fratercula corniculata*), Whiskered (*Aethia pygmaea*) and Rhinoceros auklets (*Cerorhinca monocerata*), Pigeon Guillemots (*Cepphus columba*), and Near Threatened Long-billed Murrelets (*Brachyramphus perdix*), are established there, along with large rookeries of Steller's Sea Lions (*Eumetopias jubatus*).

Sakhalin (72,492 square kilometers), the largest Russian island, harbors a human population of 500,000. It is in the Sea of Okhotsk and separated from the continent by the Straight of Tartary. Most of the island is mountainous, with the highest peak reaching 1,609 meters; the remainder is occupied by valleys and swampy plains. The climate is continental humid to subarctic and the vegetation is mostly composed of conifers such as the Sakhalin Fir (*Abies sachalinensis*). Flagship species include the Brown Bear (*Ursus arctos*) and the Endangered Spotted Greenshank (*Tringa guttifer*).

separada del continente por el Estrecho de Tartaria. La mayor parte de la isla está comprendida por montañas y el pico más alto se alza 1,609 metros. El resto de la isla son valles y planicies de inundación y exhibe climas que van de húmedo continental a sub-ártico, y una vegetación principalmente compuesta por coníferas como el Abeto de Sajalín (*Abies sachalinensis*). Las especies emblemáticas de la isla incluyen al Oso Pardo (*Ursus arctos*) y el Archibebe Moteado (*Tringa guttifer*), especie Amenazada.

Aerial view of Mount Fuji • Vista aérea del Monte Fuji
Japan • Japón
KAREN KASMAUSKI / NATIONAL GEOGRAPHIC CREATIVE

Macaca fuscata
Japanese Macaque • Macaco Japonés
Honshu Island, Japan • Isla Honshu, Japón

Neofelis nebulosa brachyura
Formosan Clouded Leopard • Leopardo de las Nieves de Formosa
Taiwan • Taiwán

Polynesia and Micronesia
Polinesia y Micronesia

James C. Russell

Scattered across the vast Pacific Ocean, the islands of Micronesia and Polynesia were among the last places on Earth to be colonized. With 4,500 main islands spread over some 40 million square kilometers of the Pacific Ocean, they are also a biodiversity hotspot. The terrestrial area covers only 46,000 square kilometers, including high volcanic islands, low raised coral islands, and coral atolls, but the ocean area is enormous. This region is at the epicenter of the current global extinction crisis, with over 1,000 bird species estimated to have been lost from Polynesia alone since first human contact.

The region is culturally diverse, although island nation groupings today reflect a combination of geographic proximity and colonial legacy. The first inhabitants of Micronesia and Polynesia arrived over 3,000 years ago, as the Lapita people travelled eastwards from Melanesia. As they colonized the islands, the final being Hawai'i after the 10th century, they became among the greatest ocean navigators ever known. Today Polynesia-Micronesia is made up of a mix across 11 countries, eight territories, and one U.S. State. Many of the independent nations of Polynesia and Micronesia are referred to as Small Island Developing States, but they would be better considered Large Ocean States.

As indicated by their name "micro," the more than 2,000 islands in Micronesia tend to be small. Lying north of the equator, the westernmost is Palau (459 square kilometers), just under 1,000 km east of the

---

Prosobonia parvirostris
Tuamotu Sandpipers • Calidris Tuamotu
French Polynesia • Polinesia Francesa

MARIE-HELENE BURLE

Dispersas por el vasto Océano Pacífico, las islas tropicales de Micronesia y Polinesia fueron algunos de los últimos sitios de la Tierra en ser colonizados. El Hotspot de Biodiversidad de Polinesia y Micronesia comprende a 4,500 islas dispersas en un área oceánica de alrededor de 40 millones de kilómetros cuadrados. La superficie territorial se extiende 46,000 kilómetros cuadrados, con islas volcánicas elevadas, islas coralinas emergentes bajas y atolones de coral, no obstante, la extensión oceánica es enorme. La región es epicentro de una actual crisis global de extinciones con más de 1,000 especies de aves perdidas tan solo en esta región desde su primer contacto con humanos.

Si bien la región es diversa culturalmente los grupos de isleños nativos reflejan una combinación de proximidad geográfica y su legado colonial. Los primeros pobladores de Micronesia y Polinesia llegaron hace más de 3,000 años, cuando el pueblo lapita incursionó el oriente de la Melanesia. La colonización de estas islas —Hawái entre las últimas después del Siglo X— convirtió a este pueblo en uno de los más grandes navegantes jamás conocidos. Hoy en día, Polinesia-Micronesia es una combinación de 11 naciones, ocho territorios y un estado de la Unión Americana. A muchas de las naciones independientes de la región se les identifica como pequeños estados insulares en desarrollo, aunque en realidad, debieran considerarse como grandes estados oceánicos.

Como lo indica el prefijo "micro" de su nombre, las más de 2,000 islas de la Micronesia son pequeñas. Al norte del ecuador y justo unos 1,000 kilómetros al este de Filipinas se encuentran Palau (459 kilómetros cuadrados), la más occidental y compuesta de 340 islas. Las Marianas del Norte comprenden 15 islas principales (464 kilómetros cuadrados), y en la misma cadena de islas, se encuentra Guam (544

Philippines and composed of 340 islands. The Northern Marianas are made up of 15 main islands (464 square kilometers), and part of the same island chain is Guam (544 square kilometers), the largest island in Micronesia. Guam is where Brown Tree Snakes (*Boiga irregularis*) introduced after WWII caused the extinction of 10 of the 12 forest bird species living there. In the center of Micronesia is the nation of the Federated States of Micronesia, which includes over 600 islands. Further east lie the 29 coral atolls of the Marshall Islands, infamous for the historical testing of 67 nuclear bombs by the United States of America between 1946 and 1958. The single island nation of Nauru (21 square kilometers) rises to 70 meters above sea level and is known for its history of phosphate mining that has stripped 80 percent of its land area.

To the southeast, traversing Micronesia to Polynesia, are the islands of Kiribati (811 square kilometers), composed of one raised coral island and 32 atolls. With an average elevation of less than two meters, Kiribati is considered the Pacific Ocean country most vulnerable to projected sea level rise from climate change.

South of the Equator, reflecting its name "poly" (Greek for "many" or "much"), are the more than 1,000 islands of Polynesia, spanning 70 degrees of longitude. These islands cover an area equivalent to Europe and the Middle East combined and are divided into western and eastern Polynesia. In western Polynesia, the independent nation of Tuvalu (26 square kilometers) includes three islands and six atolls. The Wallis and Futuna Islands (142 square kilometers) cover 23 islands. Tokelau has three atolls and a combined island area of 10 square kilometers. The Kingdom of Tonga consists of 169 islands (748 square kilometers), 36 of which are inhabited. The Samoan Islands include the independent state of Samoa (2,842 square kilometers) with four main islands, and neighboring American Samoa (199 square kilometers) with five islands and two atolls.

The Critically Endangered Tooth-billed Pigeon (*Didunculus strigirostris*), locally known as Manumea, is endemic to Samoa, where it

Boiga irregularis
Brown Tree Snake (Invasive species) • Serpiente Boiga (Especie invasora)
Guam, Mariana Islands • Guam, Islas Marianas

kilómetros cuadrados) siendo ésta la más grande de la Micronesia. Es aquí en donde la Culebra Arbórea Café (*Boiga irregularis*), introducida después de la Segunda Guerra Mundial, ha causado la extinción de 10 de las 12 especies de avifauna locales. En el centro de Micronesia está la nación de Estados Federados de Micronesia que tiene más de 600 islas. Más al este se encuentran los 29 atolones de las Islas Marshall, de infausta memoria por las pruebas nucleares que Estados Unidos realizó entre 1946 y 1958 cuando estalló 67 bombas nucleares. La solitaria isla nación de la República de Nauru (21 kilómetros cuadrados) se eleva 70 metros sobre el nivel del mar, y es conocida por su histórica de explotación minera de fosfato, dicha actividad ha usado el 80 por ciento de su territorio.

Cruzando Micronesia y Polinesia al sureste se encuentran las islas de Kiribati (811 kilómetros cuadrados), formada por una isla de elevación coralina y 32 atolones. Por su elevación promedio de menos de dos metros sobre el nivel del mar, Kiribati es considerada a menudo como la nación del Pacífico más vulnerable al incremento del nivel del mar, causado por el cambio climático.

Al sur del ecuador y reflejando lo que el prefijo griego de su nombre significa ("poli" o muchos), Polinesia tiene más de 1,000 islas, abarcando 70 grados de longitud. Las islas de Polinesia están dispersas en un área equivalente a Europa y el Medio Oriente juntos y están divididas en Polinesia oriental y occidental. En la Polinesia oriental se encuentra la nación independiente de Tuvalu (26 kilómetros cuadrados) que incluye a tres islas y seis atolones. Las islas Wallis y Futuna (142 kilómetros cuadrados) comprenden 23 islas. Tokelau tiene tres atolones con una superficie insular de 10 kilómetros cuadrados. El Reino de Tonga comprende 169 islas (748 kilómetros cuadrados), 36 de las cuales están habitadas. Las Islas Salomón incluyen al estado independiente de Samoa (2,842 kilómetros cuadrados) con cuatro islas principales y el vecino territorio de Samoa Americana (199 kilómetros cuadrados) con cinco islas y dos atolones.

La Paloma Monumea (*Didunculus strigirostris*) endémica de la isla de Samoa en donde se le conoce como Manumea, es una especie en Peligro Crítico que frecuenta la prístina selva húmeda. Esta es la única especie del género Didunculus, por lo que ha fascinado a los ornitólogos desde su descubrimiento en 1839, aunque a la fecha aún permanece poco conocida.

Na Pali Coast, Kauai, Hawai'i, USA •
Costa de Na Pali, Kauai, Hawái, EUA

FRANS LANTING / NATIONAL GEOGRAPHIC CREATIVE

Page 159: • Página 159:
Ptilinopus coralensis
Atoll Fruit Dove • Tilopo de Atolón
Tuamotu Archipelago, French Polynesia •
Archipiélago de Tuamotu, Polinesia Francesa

CAROLINE BLANVILLAIN

frequents undisturbed rainforest. It is today the only species in the genus *Didunculus*. It has fascinated ornithologists since its discovery in 1839, but remains today poorly known.

South of the Samoan Islands and northeast of New Zealand is the single island nation of Niue (261 square kilometers). With its steep limestone cliffs and central plateau, it is also known as "The Rock of Polynesia." It is one of the highest coral islands in the world, rising to 60 m above sea level.

In eastern Polynesia lie the Cook Islands, a self-governing country of 15 islands (240 square kilometers). Further east lies French Polynesia, composed of 118 widely dispersed islands and atolls with a land area of 3,521 square kilometers. It is divided into five island groups: the Society Islands (five islands and five atolls), the Austral Islands (seven atolls), the Marquesas (12 islands and one atoll), the Gambier Islands (two atolls), and the Tuamotu archipelago (80 atolls with over 3,100 motu—reef islets formed by broken coral and sand surrounding an atoll). Birds dominate the fauna of eastern Polynesia, with 241 species recorded across the archipelagos. They include the world's only remaining example of a non-migratory sandpiper—the Endangered Tuamotu Sandpiper (*Prosobonia parvirostris*) (known locally as the Titi).

To the southeast lie the four volcanic Pitcairn Islands of 47 square kilometers, the least populous national jurisdiction in the world, with only around 50 residents. And way off to the east, 3,500 kilometers from South America and 2,075 kilometers from the neighboring Pitcairn Island, is Rapa Nui (Easter Island), a UNESCO World Heritage Site famous for both its 887 spectacular moai statues and for its tragic complete deforestation. Easter Island is one of the most remote landmasses on Earth.

In the northernmost portion of Polynesia is Hawai'i (28,311 square kilometers), lying 3,600 kilometers off the west coast of North America. The Hawaiian archipelago is a geologic artifact of the Pacific tectonic plate moving over a volcanic hotspot, and today is composed of nine smaller islands and eight main islands, with the oldest and smallest in the northwest. The remoteness of Hawai'i and the combination of elevation and topographic complexity has led to remarkable species' radiations like the Hawaiian honeycreepers.

Al sur de las Islas Salomón y al noroeste de Nueva Zelanda se encuentra la nación insular de Niue (261 kilómetros cuadrados). Con un abrupto farallón calcáreo y una meseta central. También se le conoce como "La Roca de Polinesia". Es una de las islas de coral más elevadas en el mundo con 60 metros sobre el nivel del mar.

En Polinesia oriental se encuentran las Islas Cook, un país autónomo de 15 islas (240 kilómetros cuadrados). Más hacia el oriente, la Polinesia Francesa compuesta por 118 islas dispersas y atolones, tiene una superficie de 3,521 kilómetros cuadrados. Está dividida en cinco grupos de islas: las Islas de la Sociedad (cinco islas y cinco atolones), las Islas Australes (siete atolones), las Marquesas (12 islas y un atolón), las Islas Gambier (dos atolones) y el Archipiélago de Tuamotu (80 atolones y más de 3,100 islotes de arrecife o "motu" formados por restos de coral y arena en torno a un atolón). En la Polinesia del sur predomina la avifauna con 241 especies registradas entre todos los archipiélagos. Entre éstas se encuentran especies como la última de las aves playeras no migratorias del mundo —el Tildillo de Tuamotu (*Prosobonia parvirostris*) en Peligro, localmente conocido como Titi.

Las cuatro islas volcánicas de Pitcairn al sureste (47 kilómetros), son la jurisdicción nacional menos poblada del mundo con tan solo unos 50 residentes. Distante de estas islas, a 2.075 kilómetros al este y 3,500 kilómetros de Sudamérica, se encuentra Rapa Nui (Isla de Pascua), un sitio Patrimonio de la Humanidad por la UNESCO, famoso por sus 887 estatuas monumentales llamadas moai, y por su trágica deforestación. La Isla de Pascua es considerada uno de los territorios más remotos de la Tierra.

Hawái (28,311 kilómetros cuadrados) se encuentra en la parte más septentrional de la Polinesia, a unos 3,600 kilómetros al oeste de las costas de Estados Unidos. El archipiélago hawaiano es una formación producida por el movimiento de la placa tectónica del Pacífico sobre un área volcánica activa. Hoy por hoy, Hawái está compuesta de nueve islas menores y ocho mayores, siendo las más antiguas y más pequeñas las del noroeste. El aislamiento del archipiélago, su elevación y complejidad topográfica han originado unas de las radiaciones adaptativas más notables, como es el caso de la evolución de más de 50 especies de aves mieleras que comparten todas a un ancestro común.

Megaptera novaeangliae
Humpback Whale • Ballena Jorobada
Tonga Island • Isla de Tonga

TONY WU

Alopecoenas erythropterus
Polynesian Ground Dove • Paloma Perdíz de Tuamotu
French Polynesia • Polinesia Francesa

CAROLINE BLANVILLAIN

Eastern Pacific Islands
Islas del Pacífico Oriental

Federico Méndez-Sánchez and Scott J. Henderson

The "peaceful sea"—the name given to the Pacific Ocean by Ferdinand Magellan in 1521—encompasses most of the world's islands. It is also the largest (165.25 million square kilometers) and deepest (11 kilometers) of Earth's oceans. Right in the middle of the Pacific Ocean, the 180th meridian divides it into Western (Asia and Oceania) and Eastern (North and South America) Pacific. Curiously, the former lies in the Eastern Hemisphere while the latter is in the Western Hemisphere. Thus, the Eastern Pacific continental boundary stretches from Alaska in the north to Tierra del Fuego in the south; it also includes Mexico's Gulf of California, one of the world's ten marine biodiversity hotspots, as well as four of the 36 known biodiversity hotspots: the California Floristic Province, Mesoamerica, Tumbes-Chocó-Magdalena, and the Chilean Winter Rainfall-Valdivian Forests.

The Eastern Pacific Islands are mostly volcanic, large, and have high elevations, with a few reaching more than a kilometer: Isabela (1,710 meters) and Fernandina (1,494 meters) in the Galápagos Archipelago; Guadalupe Island (1,298 meters) off the Baja California Peninsula; and Socorro Island (1,050 meters) in the Revillagigedo Archipelago. The history of the Earth is being constantly written in this region due to its high and constant volcanic activity. Cerro Evermann, the volcano dome of Socorro Island, for instance, is active and had its most recent

El "mar pacífico" —nombrado así por Fernando de Magallanes en 1521— circunda la mayoría de las islas del mundo. Es el océano más grande (165.25 millones de kilómetros cuadrados) y profundo (11,000 metros) de la Tierra. El meridiano 180 divide por mitad al Pacífico, delimitando al Pacífico Occidental (Asia y Oceanía) y al Pacífico Oriental (América del Norte y del Sur). Curiosamente, el primero se ubica en el hemisferio oriental, mientras que el segundo en el hemisferio occidental. El límite continental del Pacífico Oriental va desde Alaska al Norte, hasta la Tierra del Fuego en el Sur, incluyendo además al Golfo de California en México, uno de los 10 "hotspots" de biodiversidad marina del mundo, así como a cuatro de los 36 "hotspots" de biodiversidad terrestres conocidos: Provincia Florística de California; Mesoamérica; Tumbes-Chocó-Magdalena; y Bosque Templado Lluvioso Valdiviano de Chile.

Las islas del Pacífico Oriental son en su mayoría volcánicas, grandes y altas, siendo que unas pocas alcanzan más de un kilómetro de altitud: Isabela (1,710 metros) y Fernandina (1,494 metros) en las Galápagos; Isla Guadalupe (1,298 metros) frente a la Península de Baja California; e Isla Socorro (1,050 metros) en el Archipiélago de Revillagigedo.

La historia de la Tierra está siendo escrita constantemente en esta región debido a la constante e intensa actividad volcánica. Ejemplo de esto es el domo volcánico activo del Cerro Evermann en Isla Socorro, cuya última erupción tuvo lugar en 1993. Es por esto que las islas de esta región son un laboratorio natural para comprender mejor la geología de la Tierra a un nivel fundamental.

El archipiélago Haida Gwaii (1,500 kilómetros cuadrados, Canadá); las islas del Canal (909 kilómetros cuadrados, EUA); las islas del Pacífico de Baja California (943 kilómetros cuadrados, México); las islas del Golfo

Phoebastria immutabilis
Laysan Albatross • Albatros de Laysan
Guadalupe Island, Mexican Pacific, Mexico •
Isla Guadalupe, Pacífico mexicano, México

GECI ARCHIVE / J.A. SORIANO

eruption in 1993. The islands of this region represent, therefore, a natural laboratory for better understanding the geology of the Earth at a fundamental level.

The Haida Gwaii archipelago (1,500 square kilometers; Canada), the Channel Islands (909 square kilometers; USA), the Baja California Pacific Islands (943 square kilometers; Mexico), the Gulf of California Islands (4,076 square kilometers; Mexico), the Revillagigedo Archipelago (155 square kilometers; Mexico), Coiba Island (503 square kilometers; Panama), Cocos Island (23.48 square kilometers; Costa Rica), Malpelo Island (3.5 square kilometers; Colombia), the Galápagos Archipelago (8,010 square kilometers; Ecuador), and the Juan Fernández Archipelago (100 square kilometers; Chile) are heterogeneous examples of the islands that lie in the Eastern Pacific. Yet, all of them are significant centers of biodiversity and endemism. The Juan Fernandez Islands, for example, are home to an estimated 440 endemic species, including the world's only oceanic-island hummingbird, the Critically Endangered Juan Fernández Firecrown (*Sephanoides fernandensis*). Charles Darwin's observations of variation in mockingbird and finch beak size and shape in the Galápagos Archipelago was inspiration for his seminal masterpiece *On the Origin of Species* that gave birth to the theory of evolution by natural selection.

Due to their outstanding universal value, many of these islands and archipelagos have been declared as World Heritage Sites by UNESCO. Accounting for 40% of the Earth's surface, the Pacific Ocean harbors 15 World Heritage Sites, six of which encompass islands in the Eastern Pacific. The Galápagos, Cocos, Malpelo, Gorgona and Coiba islands make up the world's densest cluster of marine UNESCO World Heritage Sites, collectively constituting the Eastern Tropical Pacific Seascape. This region has hundreds of endemic marine and terrestrial species, including the Galápagos Giant Tortoises (*Chelonoidis niger* complex), the Malpelo Anole (*Anolis agassizi*), the Coiba Howler Monkey (*Alouatta palliata oibensis*), and the Cocos Island Finch (*Pinaroloxias inornata*). This island

---

Amblyrhynchus cristatus
Marine Iguana • Iguana Marina
Fernandina Island, Galápagos • Isla Fernandina, Galápagos
PETE OXFORD

de California (4,076 kilómetros cuadrados, México); el Archipiélago de Revillagigedo (155 kilómetros cuadrados, México); Isla Coiba (503 kilómetros cuadrados, Panamá); Isla del Coco (23.48 kilómetros cuadrados, Costa Rica); Isla Malpelo (3.5 kilómetros cuadrados, Colombia); el archipiélago de las Galápagos (8,010 kilómetros cuadrados, Ecuador); y el archipiélago Juan Fernández (100 kilómetros cuadrados, Chile), son ejemplo de la heterogeneidad de las islas del Pacífico Oriental. No obstante, todas ellas son centros importantes de biodiversidad y endemismo. Las islas Juan Fernández, por ejemplo, son el hogar de 440 especies endémicas, incluyendo el único colibrí que existe en una isla oceánica, el Colibrí de Juan Fernández (*Sephanoides fernandensis*), una especie En Peligro Crítico de extinción. Las observaciones que hizo Charles Darwin sobre la variación en el tamaño y la forma del pico de cenzontles y pinzones de las Galápagos inspiraron su obra maestra *El Origen de las Especies*, que sentó las bases para la Teoría de la Evolución por selección natural.

Por su valor universal excepcional, muchas de estas islas y archipiélagos han sido declarados Patrimonio de la Humanidad por la UNESCO. Representando el 40 por ciento de la superficie del planeta, el Océano Pacífico alberga 15 Sitios del Patrimonio Mundial, seis de los cuales se localizan en el Pacífico Oriental. Las islas Galápagos, Cocos, Malpelo, Gorgona y Coiba forman el conjunto más denso de sitios marinos del Patrimonio Mundial de la UNESCO, y conjuntamente constituyen el Corredor Marino del Pacífico Tropical Oriental. Esta región es el hogar de cientos de especies endémicas terrestres y marinas, incluyendo las Tortugas Gigantes de las Galápagos (*Chelonoidis niger*, todo el complejo); la Lagartija de Malpelo (*Anolis agassizi*); el Mono Aullador de la Isla Coiba y el Pinzón de Cocos (*Pinaroloxias inornata*). Este conglomerado de islas también acoge a una de las concentraciones de especies migratorias de mar abierto más grandes del mundo. Expediciones científicas han revelado que las islas del Norte de las Galápagos tienen la biomasa de tiburones más alta jamás registrada (17.5 toneladas por hectárea). Se estima, además, que la mitad de las especies de aves marinas se reproducen en las Islas del Pacífico Oriental, alimentándose en sus aguas aledañas.

Las especies invasoras como ratas, gatos, perros, cerdos y cabras han tenido un profundo impacto negativo en la fauna nativa de las Islas del Pacífico Oriental. Afortunadamente, ha habido numerosos programas

Sula nebouxii
Blue-footed Boobies • Bobos de Patas Azules
San Pedro Martir Island, Baja California, Mexico •
Isla de San Pedro Mártir, Baja California, México

GECI ARCHIVE / J.A. SORIANO

cluster also hosts one of the world's greatest concentrations of migratory open-ocean species. Scientific expeditions have revealed that the northern islands of the Galápagos have the largest global shark biomass ever recorded (17.5 tons per hectare), while an estimated half of the world's seabird species breed on the Eastern Pacific Islands and feed in the surrounding marine waters.

Invasive species such as rats, cats, dogs, pigs and goats have taken an enormous toll on the fauna of the Eastern Pacific Islands. Numerous eradication programs, however, have been successful in removing them and, happily, seabirds have been among the groups that have benefitted most. The Endangered Ashy Storm-petrel (*Oceanodroma homochroa*), a small and particularly vulnerable seabird once wiped out on Anacapa Island (Channel Islands) returned to breed there 10 years after the predatory Black Rats (*Rattus rattus*) were eradicated. On the Baja California Pacific Islands, 70% of extirpated colonies of ten seabird species, including Cassin's Auklet (*Ptychoramphus aleuticus*) and the Guadalupe Murrelet (*Synthliboramphus hypoleucus*), have been brought back to the islands in just a couple of decades after the removal of invasive species and the use of social attraction techniques. The eradication of rats on Pinzón Island in the Galápagos Archipelago resulted in the first successful hatchlings of the giant tortoise *(Chelonoidis duncanensis*, endemic to the island) in over 100 years. The significant conservation outcomes that have been achieved to date are encouraging in our ongoing efforts to preserve the Eastern Pacific Islands and their unique biodiversity.

de erradicación que han sido exitosos y han tenido efectos muy positivos, siendo las aves marinas uno de los grupos animales más beneficiados. Este es el caso del Petrel Cenizo (*Oceanodroma homochroa*), una pequeña ave marina En Peligro de extinción, particularmente vulnerable, que fue extirpada de Isla Anacapa (Islas del Canal) por la Rata Negra, y que regresó a reproducirse a la isla diez años después de la erradicación de este depredador. En las islas del Pacífico de Baja California, 70% de las colonias extirpadas de diez especies de aves marinas, incluyendo la Alcuela Oscura (*Ptychoramphus aleuticus*) y el Mérgulo de Guadalupe (*Synthliboramphus hypoleucus*), han regresado a anidar a las islas en tan sólo un par de décadas tras la erradicación de las especies invasoras y el uso de técnicas de atracción social. La erradicación de las ratas de la Isla Pinzón en el archipiélago de las Galápagos permitió la primera anidación exitosa de la Tortuga Gigante (*Chelonoidis duncanensis*, endémica de Pinzón) después de 100 años. Estos logros significativos de conservación alcanzados a la fecha son un aliciente en nuestros esfuerzos actuales por preservar las Islas del Pacífico Oriental y su biodiversidad sinigual.

Crotalus catalinensis
Santa Catalina Rattle Snake •
Víbora de Cascabel de Santa Catalina
Gulf of California, Mexico • Golfo de California, México

CLAUDIO CONTRERAS KOOB

Following pages: • *Páginas siguientes:*
Larus heermanni
Heermann's Gull • Gaviota de Heermann
Rasa Island, Sea of Cortez, Gulf of California, Mexico •
Isla Rasa, Mar de Cortez, Golfo de California, México

CLAUDIO CONTRERAS KOOB

Caribbean Islands
Islas del Caribe

Jenny C. Daltry

Between North and South America, more than 10,000 tropical islands curve around the 2.75-million-square-kilometer Caribbean Sea, nearing Florida to the north and Venezuela to the south. Collectively, the Caribbean islands have a land area of 230,000 square kilometers, with Cuba being over 105,800 square kilometers. This is a region with immensely rich biodiversity but also the highest species extinction rates in modern history.

The Caribbean islands are broadly divided into three groups. First, the Greater Antilles, containing the largest islands—Cuba, Jamaica, Puerto Rico and Hispaniola (divided between the Dominican Republic and Haiti)—along with the Cayman Islands. These constitute nearly 90 percent of the total land area and contain the region's highest point, the 3,175-meter Duarte Peak in the Dominican Republic. These islands support an immense variety of native species, such as the Endangered Hispaniolan Solenodon (*Solenodon paradoxus*) and Cuban Solenodon (*Atopogale cubana*)—both venomous mammals—hutias, crocodiles, rare iguanas, candy cane snails, and 123 endemic species of birds. Cuba alone harbors some 7,500 species of plants and 19,600 vertebrates and invertebrates.

Second, the Lesser Antilles, with an outer chain of low coral and limestone Leeward Islands and an inner chain of very steep, volcanically active Windward Islands. Covering only 8,320 square kilometers,

Cyclura lewisi
Grand Cayman Blue Iguana • Iguana Azul de Gran Caimán
Grand Cayman Island • Isla Gran Caimán

MATTHIJS KUIJPERS / NATURE IN STOCK

Entre América del Norte y Sudamérica, más de 10,000 islas tropicales bordean la curva del Mar Caribe a lo largo de 2.75 millones de kilómetros cuadrados, desde la Florida al norte, hasta Venezuela al sur. En conjunto, las islas del Caribe tienen una extensión de 230,000 kilómetros cuadrados, siendo Cuba la mayor con 105,800 kilómetros cuadrados. La región posee una inmensa riqueza en biodiversidad, aunque también tiene las tasas de extinción más altas de la historia moderna.

Las Islas del Caribe se pueden dividir en tres grupos. Primero el de las Antillas Mayores, siendo las más grandes Cuba, Jamaica, Puerto Rico y La Española (dividida entre República Dominicana y Haití), junto con las Caimán y las Islas Vírgenes. Todas reúnen cerca del 90 por ciento del área terrestre total, además de la mayor elevación de la región (3,175 metros), el Pico Duarte en Dominicana. Estas islas albergan una inmensa variedad de especies nativas como el Almiquí de la Española (*Solenodon paradoxus*) Amenazado, y el Almiquí de Cuba (*Atopogale cubana*) —ambos mamíferos venenosos—, además de jutías, cocodrilos, iguanas, caracoles de la caña y 123 especies de aves endémicas. Tan solo Cuba es el hogar de alrededor de 7,500 especies de plantas y 19,600 especies de animales entre vertebrados e invertebrados.

El segundo grupo, con las Antillas Menores y la cadena externa de islas bajas de coral y roca calcárea llamadas Islas de Sotavento, y la cadena interior de pequeñas islas escarpadas con actividad volcánica, las Islas de Barlovento. Con una superficie de sólo 8,320 kilómetros cuadrados, estas pequeñas islas van desde Anguila al norte hasta Trinidad en el sur, incluyendo a Antigua y Barbuda, Barbados, las Islas Vírgenes Británicas, Dominica, Guadalupe, Grenada, Martinica, Montserrat, Saba, San Bartolomé, San Eustaquio, San Cristóbal y Nieves, Santa Lucía, San Martín, San Vicente y las Granadinas, Trinidad y Tobago y las Islas

these small islands run from Anguilla in the north to Trinidad in the south and include Antigua and Barbuda, Anguilla, Barbados, British Virgin Islands, Dominica, Guadeloupe, Grenada, Martinique, Montserrat, Saba, St. Barthélemy, St. Eustatius, St. Kitts and Nevis, Saint Lucia, St. Maarten, St. Martin, St. Vincent and the Grenadines, Trinidad and Tobago, and United States Virgin Islands. Aruba, Bonaire, and Curaçao, along the southern edge of the Caribbean Sea, may also be considered part of this group. Collectively, the Lesser Antilles are very rich in native species, including the colorful amazon parrots and many Critically Endangered species such as the Barbados Threadsnake (*Leptotyphlops carlae*), the world's smallest snake, and the Mountain Chicken (*Leptodactylus fallax*), a huge frog.

Third is the Bahama Bank assemblage—the archipelagos of the Bahamas and Turks and Caicos, southeast of Florida. These numerous low-lying islands are actually in the Atlantic Ocean, not the Caribbean Sea, and are especially noted for flamingos and a wide variety of rare and endemic rock iguanas.

Most Caribbean Islands have never been connected to continental landmasses, enabling species and even genera to evolve in isolation. Collectively, they contain over 11,000 plant species (72 percent endemic) and more than 1,300 vertebrate animals (75 percent endemic). Endemism is especially high among reptiles (at least 750 species, of which at least 97 percent are endemic), amphibians (190 species, 100 percent endemic), and the less mobile invertebrates, many of them confined to single islands. The Caribbean Sea is also rich in fauna, including over 3,000 species of mollusks (26 percent endemic) and 1,300 fish (45 percent endemic).

This region was first colonized by humans from Central America over 6,000 years ago. The Amerindian inhabitants, who numbered over 750,000 by 1600, introduced South American game animals such as Red-footed Tortoises, opossums and Green Iguanas. They probably hunted the endemic sloths and giant hutias to extinction. Amerindian

---

Crocodylus acutus
American Crocodile • Cocodrilo Americano
Gardens of the Queen National Park, Cuba • Jardines de la Reina, Cuba
CRISTINA MITTERMEIER / NATIONAL GEOGRAPHIC CREATIVE

Vírgenes de los Estados Unidos. También son parte de este grupo en el extremo sur del Mar Caribe, Aruba, Bonaire y Curazao. En conjunto, las Antillas menores son ricas en especies nativas e incluyen al colorido Loro Amazónico y muchas especies en Peligro Crítico como la serpiente de Barbados (*Leptotyphlops carlae*), la serpiente más pequeña del mundo y el Pollo de Montaña *(Leptodactylus fallax)*, que es una rana de granes proporciones.

En el tercer grupo encontramos el archipiélago y los bajos de las Bahamas, las islas Turcas y Caicos al sureste de Florida. De hecho, esta gran cantidad de islas de baja altitud están en el Océano Atlántico y no en el Mar Caribe, conocidas por sus flamencos y una gran variedad endémica de raras iguanas de roca.

La mayoría de las islas del Caribe nunca han estado acopladas a tierra firme, lo que ha permitido la evolución en aislamiento de especies e incluso de géneros. En conjunto, las islas reúnen a más de 11,000 especies de plantas (72 por ciento endémicas) y más de 1,300 especies de vertebrados (75 por ciento endémicas). El endemismo es elevado entre los reptiles (por lo menos 750 especies con 97 por ciento de endemismo), anfibios (alrededor de 190 especies, 100 por ciento endémicas) y los invertebrados de menor movilidad, muchos de ellos confinados a una sola isla. El Caribe también es rico en fauna con más de 3,000 especies de moluscos (26 por ciento endémicos) y 1,300 especies de peces (45 por ciento endémicos).

La región fue colonizada hace más de 6,000 años por personas de América Central. Los habitantes amerindios que llegaron a ser más de 750,000 hacia 1600, introdujeron animales de caza de Sudamérica como las Tortugas de Patas Rojas, mapaches e iguanas. A los perezosos y jutías gigantes endémicos es probable que los hayan cazado hasta su extinción. Aún subsisten algunas comunidades amerindias, entre ellas unos 3,000 caribes en República Dominicana.

Tras la llegada de Cristóbal Colón en la década de 1490, una ola de asentamientos europeos convirtió los bosques de las tierras bajas al cultivo algodonero y a plantaciones de caña de azúcar contratando obreros irlandeses e indios, que muy pronto serían acompañados por un considerable número de esclavos africanos. Menos del 10 por ciento de la vegetación sobrevivió a la era de las plantaciones. Hacia 1800, la población alcanzó los 2.2 millones de personas y actualmente se acercan a los 40 millones.

Phoenicopterus ruber
American Flamingo • Flamingo Americano
Mexico • México

CLAUDIO CONTRERAS KOOB

181

communities still exist on some islands, including around 3,000 Caribs on Dominica.

After Christopher Columbus first arrived in the 1490s, a wave of settlers from Europe converted lowland forests to cotton and sugarcane plantations and brought indentured Irish and Indian workers, soon accompanied by huge numbers of African slaves. Less than 10 percent of the islands' natural vegetation survived the plantation era. The population rose to 2.2 million by 1800 and is now close to 40 million.

For native wildlife, however, the most catastrophic impact came from alien species carried from the Old World, including rats, goats, mongooses, dogs, and cats. Since 1600, the Caribbean Islands have accounted for 10 percent of the world's bird extinctions, 38 percent of mammal extinctions and over 65 percent of reptile extinctions: an astonishing record for only 0.16 percent of the Earth's land area. Over two-thirds of extinctions are blamed on alien species. Besides organisms from other parts of the world, human travel enables island endemics to move between islands, resulting in competition and hybridization between species that were separated for millions of years.

The Caribbean Islands are also critically vulnerable to climate change, including an increasing frequency of major hurricanes. Another widespread challenge is the tourism industry that, while vital to island economies, is driving the destruction of coastal forests and cays.

Over 1,200 species have been assessed as globally threatened, including 49 percent of reptiles, 75 percent of amphibians and nearly 100 percent of the surviving native land mammals, but recent decades have seen encouraging progress to conserve endangered species. As only 13 of the original 40-plus land mammal species remain, endemic birds and reptiles have become the symbols for Caribbean conservation, with successful programs to save the St. Vincent Parrot (*Amazona guildingii*), the Saint Lucia Parrot (*Amazona versicolor*), the Endangered Grand Cayman Blue Iguana (*Cyclura lewisi*) and the Critically Endangered Antiguan Racer (*Alsophis antiguae*), among others. An increasing focus has been on restoring island ecosystems and wildlife populations by removing invasive aliens. More than 60 Caribbean islands have been cleared of invasive rats, for example, while others have had goats, mongooses, cats and other aliens removed, benefitting hundreds of native species.

Lo más catastrófico para la vida silvestre proviene de las especies exóticas introducidas del viejo mundo, como ratas, cabras, mangostas, perros y gatos. Desde 1600 las Islas del Caribe aportan el 10 por ciento de las aves extintas a nivel mundial, 39 por ciento de los mamíferos extintos y más del 65 por ciento de los reptiles. Todo en tan solo una extensión de 0.16 por ciento de la superficie terrestre. Más de las dos terceras partes de éstas extinciones se les adjudican a las especies invasoras. Además de los organismos foráneos, el tráfico humano permitió la propagación de las especies endémicas, resultando en la competencia e hibridación de especies que habían estado separadas por millones de años.

Las Islas del Caribe también son extremadamente vulnerables al cambio climático por el incremento de los huracanes. Otra amenaza es la industria turística que, si bien es vital para la economía, está destruyendo los bosques costeros y los cayos.

Se han reportado más de 1,200 especies amenazadas a nivel mundial, 49 por ciento son reptiles, 75 por ciento anfibios y casi el 100 por ciento de los mamíferos terrestres nativos, aunque en décadas recientes se ha registrado un alentador progreso en su conservación. Mientras que en el Caribe sólo subsisten 13 de las más de 40 especies de mamíferos originales, las aves y los reptiles endémicos se han convertido en símbolos de la conservación, entre otros a la Amazona del Caribe (*Amazona guildingii*), a la Amazona de Santa Lucía (*Amazona versicolor*), a la Iguana Azul de Gran Caimán (*Cyclura lewisi*) Amenazada y la Culebra Corredora de Antigua (*Alsophis antiguae*) en Grave Peligro. De manera creciente se ha reorientado la restauración de los ecosistemas y de las poblaciones silvestres mediante la erradicación de las especies invasivas: más de 60 islas caribeñas han sido clareadas de ratas invasivas, mientras que en otras se han eliminado cabras, mangostas, gatos y otros invasores en beneficio de cientos de especies nativas.

Alsophis antiguae
Antigua Racer Snake • Serpiente Corredora de Antigua
Antigua and Barbuda • Antigua y Barbuda
JOHN CANCALOSI / NATUREPL.COM

Pholidoscelis griswoldi
Antiguan Ground Lizard • Lagarto de Tierra de Antigua
Great Bird Island, Antigua and Barbuda •
Gran Isla de los Pájaros, Antigua y Barbuda

ROBIN MOORE

Aratinga pertinax xanthogenia
Caribbean Parakeet or Brown-throated Parakeet •
Perico del Caribe o Perico de Garganta Marrón
Netherlands Antilles, Caribbean •
Antillas Neerlandesas, Caribe

PETE OXFORD

Rhizophora mangle
Red Mangrove • Mangle Rojo
Gardens of the Queen, Cuba • Jardines de la Reina, Cuba
CRISTINA MITTERMEIER / NATIONAL GEOGRAPHIC CREATIVE

Mediterranean Islands
Islas del Mediterráneo

Pierre Carret, Fabrice Bernard and Olivier Langrand

The Mediterranean Basin is the second largest biodiversity hotspot and ranks third in terms of botanical diversity. More than 25,000 plant species have been inventoried, including many medicinal and aromatic species such as thyme, laurel, sage, oregano, and rosemary. These plants, which are typical elements of the Mediterranean gastronomy, demonstrate the strong links between culture and nature in this part of the world, birthplace to a number of civilizations and religions. The Mediterranean landscapes have been shaped by a long history with humankind. The balance between nature and human practices is threatened today by changes in farming practices, pollution, illegal hunting, the spread of invasive alien species, and coastal development, including for tourism. The Mediterranean Region—the marine part of which only represents 0.8 percent of the globe's oceanic environment—annually hosts a third of the world's tourism (about 220 million people), who travel there to enjoy its remarkable climate, culture, and landscapes.

There are nearly 15,000 islands and islets in the Mediterranean. They constitute refuges for many species, they are laboratories of evolution, and represent and they harbor a considerable portion of the remarkable biodiversity of this region that is so in need of protection. In some cases, their geographic isolation has preserved them from anthropogenic pressures. However, given the very limited extent of these islands,

La Cuenca del Mediterráneo es el segundo Hotspot de Biodiversidad más grande del mundo y tercero en diversidad botánica. Allí se han clasificado a más de 25,000 especies, incluyendo algunas medicinales y aromáticas como el tomillo, el laurel, la salvia, orégano y el romero. Especies típicas de la gastronomía mediterránea, son muestra del fuerte vínculo entre cultura y naturaleza en esta parte del mundo, que dio origen a múltiples civilizaciones y religiones. El entorno mediterráneo ha sido moldeado por su larga historia con la humanidad. Hoy por hoy, el equilibrio entre la naturaleza y las actividades humanas está siendo amenazado por los cambios en las prácticas agrícolas, la contaminación y la caza ilegal, así como la invasión de especies exóticas, el desarrollo costero e incluso por el turismo. La parte marina de la región mediterránea, que apenas representa el 0.8 por ciento del entorno oceánico del globo, recibe anualmente a una tercera parte del turismo mundial, cerca de 220 millones de personas que van allí para disfrutar del clima, la cultura y los paisajes.

Hay cerca de 15,000 islas e islotes en el Mediterráneo. Son refugio de muchas especies y laboratorios de evolución, representan y albergan a gran parte de la biodiversidad de la región con necesidad de protección. En algunos casos, el aislamiento geográfico de estas islas las ha protegido de presiones antropogénicas, aunque debido a su limitada extensión, incluso pequeñas alteraciones son motivo de perturbación en el equilibrio entre naturaleza y la ocupación humana.

En la parte oriental del Mediterráneo conocida como el Mar Egeo se encuentran un gran número de islas (alrededor de 1,400). Hasta el año 6,000 a.C., los elefantes enanos que poblaron la isla principal dieron origen al mito de los cíclopes pues se creía que el orificio central de la trompa era la órbita del único ojo de estos gigantes mitológicos.

Vipera aspis
Asp Viper • Víbora Áspid
Mediterranean • Mediterráneo
NICOLA DESTEFANO

even small disturbances can disrupt the equilibrium between nature and human occupation.

The eastern part of the Mediterranean is known as the Aegean Sea and is home to approximately 1,400 islands. Until 6,000 BC, dwarf elephants populated these main islands. Their skulls gave birth to the myth of the Cyclops since the central hole for the trunk was considered the orbit of these mythological one-eyed giants. Further south, the islands of Cyprus (9,251 square kilometers) and Malta (316 square kilometers) are home to extremely rare species, such as the Critically Endangered Akamas Centaury (*Centaurea akamantis*), a shrub endemic to Cyprus and found only in an area of less than one square kilometer. Sadly, both Cyprus and Malta are notorious for contributing significantly to the 25 million small passerines unlawfully shot, trapped, and glued every year in the Mediterranean. Coastal caves host the last colonies of the Critically Endangered Mediterranean Monk Seal (*Monachus monachus*), one of the most important symbols of species conservation in this hotspot.

The Tuscan Archipelago, formed by seven main islands (293 square kilometers)—Elba, Capraia, Montecristo, Giglio, Gorgona, Giannutri, and Pianosa—is located between the Italian Peninsula and the large islands of Corsica (8,748 square kilometers) and Sardinia (24,090 square kilometers). A few taxa such as the Montecristo Asp Viper and the Elba Asp Viper are endemic to the Tuscan islands. Corsica and Sardinia are rugged islands reaching 2,710 meters (Monte Cinto) and 1,834 meters (Punta la Marmora), respectively. This altitudinal gradient creates a great diversity of habitats, from coastal beaches to garrigue and maquis scrubland up to alpine meadows. Corsica's rich flora has over 2,500 species, 12 percent of which are endemic. Bedriaga's Rock Lizard (*Archaeolacerta bedriagae*), the Corsican Mouflon (*Ovis orientalis musimon*), and the Corsican Nuthatch (*Sitta whiteheadi*) are flagship species of these mountainous ecosystems.

Sitta whiteheadi
Corsican Nuthatch • Trepador Corso
Asco Valley, Corsica, France •
Valle de Asco, Córcega, Francia

Hacia al sur están las islas de Chipre (9,251 kilómetros cuadrados) y Malta (316 kilómetros cuadrados), que albergan especies extremadamente raras como la Centáurea de Akamas (*Centaurea akamantis*) en Peligro Crítico de Extinción, un arbusto endémico de Chipre que habita en una superficie de menos de un kilómetro cuadrado. Tristemente, tanto Chipre como Malta sobresalen cada año por su notable contribución a la captura y matanza ilegal de 25 millones de pequeñas aves paseriformes en el Mediterráneo. Las cuevas costeras de estas islas sirven de hogar a las últimas colonias de la Foca Monje del Mediterráneo (*Monachus monachus*), uno de los símbolos más importantes de las especies de este "hotspot" de conservación.

El Archipiélago Toscano (293 kilómetros cuadrados) —Elba, Capraia, Montecristo, Giglio, Gorgona, Giannutri y Pianosa— está localizado entre la Península Itálica y las grandes islas de Córcega (8,748 kilómetros cuadrados) y Cerdeña (24,090 kilómetros cuadrados). Algunos taxones como la víbora áspide de Montecristo y el áspide de la isla Elba son endémicas de las Islas Toscanas. Córcega y Cerdeña, son islas escarpadas que alcanzan una altura de 2,710 metros (Monte Cinto) y 1,834 metros (Punta la Marmora) respectivamente. Este gradiente de elevación produce una gran diversidad de hábitats, desde las playas costeras, matorrales de maquia y garriga, hasta praderas alpinas. La rica flora de Córcega tiene más de 2,500 especies, 12 por ciento de las cuales son endémicas. Especies emblemáticas de este ecosistema montañoso son la Lagartija de Bedriaga (*Archaeolacerta bedriagae*), el Muflón Corso (*Ovis orientalis musimon*) y el Trepador Corso (*Sitta whiteheadi*).

Sicilia (25,711 kilómetros cuadrados) está separada al sur de la península itálica por el Estrecho de Mesina y tiene una población de más de 5 millones de habitantes. Isla montañosa e intensamente cultivada, es allí donde se encuentra el volcán activo Etna de 3,329 metros de altura. Sicilia tiene una rica flora con más de 2,700 especies de plantas, 20 por ciento de las cuales son endémicas. Su fauna también presenta algunas especies endémicas como la Musaraña Siciliana (*Crocidura sicula*). Al norte del Mar Tirreno, emergen las ocho Islas Eolias, originadas por la intensa actividad volcánica simbolizada por la isla Stromboli (924 metros de altura).

Cerca de 60 islas se encuentran a lo largo de la costa tunecina, entre las que está Yerba (514 kilómetros cuadrados) donde se dice que

Archaeolacerta bedriagae
Bedriaga's Rock Lizard • Lagartija de Roca de Bedriaga
Corsica, France • Córcega, Francia
NICOLA DESTEFANO

Sicily (25,711 square kilometers) is separated from the southern tip of the Italian Peninsula by the Strait of Messina and has a population of over 5 million inhabitants. It is a hilly and heavily cultivated island that harbors the active volcano Etna that reaches 3,329 meters. Sicily also has a rich flora, with over 2,700 plant species, 20 percent of which are endemic. The fauna also includes a few endemic species such as the Sicilian Shrew (*Crocidura sicula*). North of Sicily in the Tyrrhenian Sea, are the eight Aeolian Islands that have been shaped by the intense volcanic activity of Mount Stromboli (924 meters).

About 60 islands are found along the Tunisian coast, including Djerba (514 square kilometers), where Ulysses is said to have met the lotus-eaters. The island of Zembra (3.7 square kilometers) harbors a breeding colony of more than 142,000 pairs of Scopoli's Shearwaters (*Calonectris diomedea*). It is also a popular dive spot, famous for the Phoenician and Roman wrecks sunk at the Battle of Carthage during the Third Punic War.

Despite strong pressure from tourism, the Balearic Archipelago (4,992 square kilometers) retains some grandiose landscapes and a rich biodiversity, including endemic species such as the Majorca Midwife Toad (*Alytes muletensis*) and the Balearic Warbler (*Sylvia balearica*).

Ulises se encontró con los lotófagos. La isla de Zembra (3.7 kilómetros cuadrados) alberga una colonia reproductiva de más de 142,000 parejas de Pardelas Cenicientas de Scopli (*Calonectris diomedea*). También es un popular destino de buceo, famoso por los naufragios romanos y fenicios de la Batalla de Cartago durante la Tercer Guerra Púnica.

A pesar de la gran presión del turismo, el Archipiélago de las Baleares (4,992 kilómetros cuadrados) conserva algunos imponentes paisajes y una rica biodiversidad que incluye especies endémicas como el Sapillo Balear (*Alytes muletensis*) y la Curreuca Balear (*Sylvia balearica*).

Monachus monachus
Mediterranean Monk Seal • Foca Monje del Mediterráneo
Deserta Grande, Madeira Nature Park, Portugal •
Deserta Grande, Parque Natural de Madeira, Portugal
DOUG PERRINE

Mediterranean Sea at the Paradise Beach •
Mar Mediterráneo en la Playa Paraíso
Crete, Greek Islands • Creta, Islas Griegas

POPP-HACKNER PHOTOGRAPHY

Atlantic Ocean Islands
Islas del Océano Atlántico

Steffen Oppel

The Atlantic Ocean separates Europe and Africa from the Americas and covers approximately 20% of the Earth's surface. Its key bathymetric feature is a submarine mountain range that runs from 87°N down the center to the sub-Antarctic Bouvet Island (Bouvetøya) at 42°S. Many of the typical Atlantic Islands are the result of volcanoes that are located along this mid-Atlantic ridge, starting with Iceland in the far north, the Azores archipelago (belonging to Portugal), São Pedro and São Paulo (Brazil), and Ascension, St. Helena, and the Tristan da Cunha archipelago (all UK Overseas Territories) in the far south. These islands are geologically quite young and have a wide range of climates and ecosystems. They vary from cold and windswept in the sub-Arctic and sub-Antarctic latitudes, through lush forested islands in the Azores and off West Africa, to hot and dry desert islands such as Ascension.

Their emergence from the sea and location in the mid-Atlantic made these islands difficult to reach, and the wildlife is dominated by the birds and a few reptiles that were able to disperse across the Atlantic and ultimately evolve into unique species. Some of these species— for example, the small Monteiro's Storm Petrel (*Hydrobates monteiroi*) endemic to small islets in the Azores, the Ascension Frigatebird (*Fregata aquila*) which nests only on tropical Ascension, and the Bugio Petrel (*Pterodroma deserta*) that breeds only on Bugio (Desertas archipelago,

El Océano Atlántico separa a Europa y África de las Américas. Tiene una extensión aproximada del 20 por ciento de la superficie de la Tierra. Su rasgo batimétrico particular es la cordillera submarina atlántica que corre desde su parte central en los 87°N, hasta la isla sub-antártica Bouvet (Bouvetøya) a los 42°S. Mucha de las islas atlánticas típicas son el resultado de la actividad volcánica confinada a lo largo de la dorsal mesoatlántica, empezando por Islandia en el norte hasta el Archipiélago de las Azores (de Portugal); San Pedro y San Pablo (Brasil), Ascensión, Santa Elena y el archipiélago de Tristán de Acuña (territorios británicos de ultramar) en el extremo sur. Estas islas son geológicamente muy jóvenes y tienen un extenso rango de climas y ecosistemas. Varían de frías y ventosas en las latitudes sub-árticas o sub-antárticas, hasta las islas de bosques exuberantes en las Azores y frente a las costas de Sudáfrica, incluso islas cálidas y desérticas como Ascensión.

La zona de surgencia de estas islas en el Atlántico Central hizo difícil su acceso, y la vida silvestre fue formada predominantemente por aves y reptiles capaces de dispersarse a través del Atlántico, para finalmente evolucionar a especies únicas. Algunas de estas como por ejemplo el Paíño de Monteiro (*Hydrobates monteiroi*), endémico de islotes en las Azores, o la Fragata de Ascensión (*Fregata aquila*) que solamente anida en la tropical Ascensión; o el Petrel de Madeira (*Pterodroma deserta*) que se reproduce solamente en Bugio (en las Desertas, Archipiélago de Madeiras) para luego dispersarse por todo el Atlántico Sur en busca de forraje, pero que solamente anida en unas cuantas islas permaneciendo genéticamente aislado a pesar de realizar travesías oceánicas de miles de kilómetros.

La misma ubicación que dio origen a esta biodiversidad única en el Atlántico Central, también favoreció estratégicamente a las culturas

---

Piliocolobus pennantii
Pennant's Red Colobus • Mono Cercopiteco de Orejas Rojas
Bioko Island, Equatorial Guinea •
Isla de Bioko, Guinea Ecuatorial

Madeira)—disperse across the entire Atlantic in search of food but live on only one or a handful of islands, and remain genetically isolated from related species despite routinely travelling thousands of kilometers across the sea.

The same location in the mid-Atlantic that gave rise to rather unique biodiversity also provided strategic benefits to sea-faring nations, resulting in many battles being fought among the Portuguese, Spanish and British navies between the 17th and 19th centuries. They fought to occupy islands that could provide support for trans-Atlantic trade routes. The colonization of many of these islands resulted in the loss of their natural treasures. The forests of St. Helena (121 square kilometers) and those of many islands in the Azores were cut down to build and maintain settlements and facilitate agriculture, and many non-native species were introduced that continue to threaten remaining native, and usually endemic, plants and animals.

The islands closer to continental shelves also span a broad range of climates and ecosystems, similar to the mid-Atlantic islands. Windswept and cool islands on both sides of the North Atlantic (Newfoundland, Canada in the west, and the British Isles, the Faroe Islands and Norwegian islands in the east) are often treeless sub-Arctic outcrops dominated by vast seabird colonies and lashed by frequent storms and copious rain. The United Kingdom and Ireland constitute an archipelago of more than 10,000 smaller islands, some of which support large congregations of seabirds (Bass Rock, Grassholm, St Kilda, Hebrides, Shetlands, Orkneys), and have been the targets of restoration efforts to remove invasive mammals (Ramsey, Scilly Isles, Shiants). The more tropical islands include the Brazilian archipelagos of Fernando de Noronha, the more southerly Abrolhos banks, and Trindade and Martin Vaz. Cape Verde and the islands of Macaronesia (Madeira and the Canary Islands) in the east are hot year-round and often semi-arid or arid, with natural deserts and xeric shrub-forests being common terrestrial ecosystems that host many unique plants and animals.

Fringilla teydea
Teide's Blue Chaffinch • Pinzón Azul de Teide
Canary Islands, Spain • Islas Canarias, España

IÑAKI RELANZÓN / WILD WONDERS OF EUROPE

navegantes resultando en numerosos combates navales entre portugueses, españoles y británicos durante los siglos diecisiete al diecinueve, que pelearon por ocupar estas islas estratégicas para las rutas comerciales transatlánticas. La colonización de muchas de estas tuvo como resultado la pérdida de sus tesoros naturales. El bosque de la Santa Elena (121 kilómetros cuadrados) y el de muchas islas de las Azores fueron talados para construir asentamientos o para facilitar la agricultura, introduciendo especies exóticas que hasta la fecha son una amenaza para las plantas y animales nativas, a menudo endémicas.

Las islas cercanas a los continentes también exhiben una gran variedad de climas y ecosistemas similares a las del Atlántico Central. Las islas frías azotadas por vientos provenientes de ambos lados del Atlántico del Norte (Terranova y Canadá en el oeste, las Islas Británicas, las Feroe y las islas de Noruega al este), a menudo farallones sub-árticos desprovistas de árboles sacudidos por frecuentes tormentas y abundantes lluvias. Reino Unido e Irlanda conforman un archipiélago de más de 10,000 pequeñas islas, algunas de las cuales refugian grandes congregaciones de aves marinas (Bass Rock, Grassholm, St. Kilda, Hebrides, Shetlands y Orkneys) que han sido objeto de esfuerzos de restauración para remover los mamíferos invasores (Ramsey, Islas Scilly y Shiants).

Las islas tropicales incluyen los archipiélagos brasileños de Fernando de Noronha, y más al sur el Archipiélago de Abrolhos y las islas Trinidad y Martín Vaz. Cabo Verde y las islas de la Macronesia (Madeira e Islas Canarias) al este, a menudo de clima árido o semiárido y caluroso todo el año, con ecosistemas terrestres comúnmente desérticos de matorral xerófilo que acoge a muchas plantas y animales únicos.

Las islas del Golfo de Guinea están entre las más impresionantes desde el punto de vista de su biodiversidad —selvas tropicales húmedas de la cordillera volcánica que se extienden al sur desde Camerún. Son la República Democrática de Santo Tomé y Príncipe (1,001 kilómetros cuadrados) y las islas de Annobón (17 kilómetros cuadrados) y la Bioko (2,017 kilómetros cuadrados), estas últimas de Guinea Ecuatorial.

Las islas Annobón, Santo Tomé y Príncipe son verdaderas islas oceánicas y nunca han estado conectadas entre sí ni a ningún continente, mientras que Bioko se ubica en la plataforma continental y en el pasado estuvo conectada a tierra firme. Es por ello que Bioko tiene flora y fauna más diversas con niveles de endemismo relativamente bajos.

In terms of biodiversity, the most impressive are the islands of the Gulf of Guinea—humid tropical rain forest islands of a volcanic range extending southwest from Cameroon. They are the Democratic Republic of São Tomé and Principe (1,001 square kilometers), and the islands of Annobón (17 square kilometers) and Bioko (2,017 square kilometers) that are part of Equatorial Guinea. Annobón and São Tomé and Príncipe are truly oceanic and have never been connected with each other or with the mainland, while Bioko lies on the continental shelf and was connected to the African mainland in the past. For this reason, Bioko has a much more diverse flora and fauna with relatively low levels of endemism. The furthermost islands have low species richness due to their isolation but have exceptionally high numbers of endemic species and genera. Bioko is a global priority for primates. It harbors 11 species and subspecies, nine of them endemic, and all but one are threatened with extinction due to unsustainable levels of hunting. Primates did not naturally disperse to the more remote islands, but there are at least six endemic mammals (two shrews and four bats), and 18 of the 24 reptiles found on São Tomé and Príncipe are endemic, as are 28 birds, 14 of which are threatened, with the Dwarf Ibis (*Bostrychia bocagei*), Newton's Fiscal (*Lanius newtoni*), and the São Tomé Grosbeak (*Crithagra concolor*) critically close to extinction due to the loss of their forest habitat.

Por su aislamiento, las islas más distantes presentan menor riqueza de especies, pero con un número excepcionalmente alto de especies y géneros endémicos. Bioko es un sitio prioritario a nivel mundial para los primates pues es el hogar de 11 especies y subespecies, nueve de las cuales son endémicas, todas en peligro de extinción debido a su caza no sustentable. Si bien los primates no se desplazaron de manera natural a islas más remotas, existen por lo menos seis mamíferos endémicos (dos musarañas y cuatro murciélagos). San Tomé y Príncipe cuenta con 18 reptiles endémicos de 24 especies que se encuentran en la isla, así como 28 aves, 14 de las cuales se encuentran amenazadas a nivel global, entre ellas la Ibis de Santo Tomé (*Bostrychia bocagei*), el Alcaudón de Santo Tomé (*Lanius newtoni*) y el Picogordo de Santo Tomé (*Crithagra concolor*), todos muy cerca de su extinción debido a la pérdida de su hábitat forestal.

Physeter macrocephalus
Sperm Whale • Cachalote
Pico, Azores, Portugal • Pico, Azores, Portugal
MAGNUS LUNDGREN / WILD WONDERS OF EUROPE

Mountains of Landmannalaugar • Montañas de Landmannalaugar
Iceland • Islandia

IÑAKI RELANZÓN

213

Southern Ocean Islands
Islas del Oceáno Glacial Antártico

Nick D. Holmes

The Southern Ocean encircles the landmass of Antarctica, and connects the Pacific, Atlantic, and Indian Oceans. Scattered among the Southern Ocean are a series of remote and remarkable islands and archipelagos. Many are uninhabited or host only research stations, with few having permanent human communities (Tristan da Cunha, the Falklands / Islas Malvinas, and the Chathams). These islands are typically volcanic and relatively young geologically, with many having mountainous landscapes. The climate of these islands is heavily influenced by the continual movement of the Southern Ocean around Antarctica, resulting in a cooler climate than equivalent northern latitudes, with high winds and consistent rainfall.

The Southern Ocean Islands are home to some of the most highly adapted and fascinating wildlife on the planet, including charismatic species, such as the parakeets of the New Zealand Subantarctic, several albatross species, and vast colonies of seals and penguins, and provide important habitat for substantial populations of these animals during summer months.

Below the Atlantic lie the Falkland Islands / Islas Malvinas, South Shetlands, South Orkneys, South Sandwich Island, South Georgia, Tristan da Cunha, Gough and Bouvetøya (Bouvet Island). The Falklands / Islas Malvinas are an archipelago of more than 750 islands covering

El Océano Antártico rodea a la Antártida continental y comunica los océanos Pacífico, Atlántico e Índico. Dispersos en este océano se encuentran una serie de notables islas y archipiélagos muy remotos. Deshabitadas muchas de estas islas, algunas albergan solo estaciones de investigación y pocas están habitadas permanentemente por comunidades humanas (Tristán de Acuña, las Malvinas/Falklands y las Chatham). Geológicamente jóvenes, estas islas son comúnmente volcánicas y muchas de ellas de relieve montañoso. Su clima está fuertemente influenciado por el continuo movimiento del mar en torno a la Antártida, produciendo un clima más frío que su equivalente en latitudes septentrionales, con fuertes vientos y precipitaciones constantes.

Las Islas del Océano Antártico albergan algunas de las formas de vida salvaje más altamente adaptadas y fascinantes, incluyendo a especies carismáticas como los Periquitos Australes de la subantártica de Nueva Zelanda, así como a varias especies de albatros y a vastas colonias de focas y pingüinos. Durante el verano, las islas aportan un hábitat fundamental para una importante población de estos animales.

Al sur del Atlántico están las Islas Malvinas/Falkland, las Shetland del Sur, las Orcadas del Sur, la Sandwich, Georgia del Sur, la Tristán de Acuña, la Gough y la Bouvet (Bouvetøya). Las Malvinas/Falklands son un archipiélago de más de 750 islas con una superficie de 12,000 kilómetros cuadrados, que descansan en la plataforma de la Patagonia. Presentan una fuerte asociación florística con la Patagonia. A 37°S, el grupo Tristán de Acuña incluye a la Isla Inaccesible y la Nightingale, con una extensión de 207 kilómetros cuadrados y representan el límite norte del Océano Antártico.

Entre Sudáfrica y Australia yace el Archipiélago Kerguelen (7,215 kilómetros cuadrados), las Islas Crozet (353 kilómetros cuadrados), las

Eudyptes chrysolophus
Macaroni Penguin Pair • Pareja de Pingüinos Macaroni
South Georgia, British Overseas Territory •
Georgia del Sur, Territorio Británico de Ultramar
FRANS LANTING / NATIONAL GEOGRAPHIC CREATIVE

12,000 square kilometers, resting on the Patagonia Shelf and having strong floristic associations with Patagonia. At 37°S, the Tristan da Cunha group that includes Inaccessible and Nightingale, covers about 207 square kilometers, and represents the northern extent of all Southern Ocean Islands.

Between South Africa and Australia lie the Kerguelen Archipelago (7,215 square kilometers), the Crozet Islands (353 square kilometers), St. Paul and Amsterdam Islands (61 square kilometers), and Prince Edward and Marion Island (335 square kilometers). Grande Terre in the Kerguelen Archipelago is among the most impacted of the Southern Ocean Islands, with established populations of feral sheep, cats, rabbits and rodents.

South of Australia lie Macquarie Island and the Heard and McDonald Islands. Macquarie (128 square kilometers) is the only Southern Ocean Island not of volcanic origin. It is a raised oceanic plateau adjoining three tectonic plates. The Heard and MacDonald Islands (372 square kilometers) have Australia's only active volcanoes. They are among the most undisturbed of the Southern Ocean, with only two non-native plants identified. The New Zealand Subantarctics include the Aucklands (625 square kilometers), Campbell Island (113 square kilometers), the Antipodes (20 square kilometers), the Snares (3.5 square kilometers), and the Bounty group (1.5 square kilometers). These islands are home to remarkable examples of the Southern Ocean Island flora, including megaherb communities of large wildflowers that have huge leaves, and very large and often unusually colored flowers.

The biota of the Southern Ocean Islands has evolved in the absence of terrestrial mammals. The introduction of invasive alien species has led to devastating impacts. Today, some of the most ambitious conservation interventions worldwide have occurred there to reverse the impact of invasive species. They include the eradication of cats on Marion Island, rats on Campbell Island and, more recently, cats, rats, rabbits, and mice on Macquarie Island, providing a beacon of hope for island conservation worldwide.

Aptenodytes patagonicus
Colony of King Penguins • Colonia de Pingüinos Rey
South Georgia, British Overseas Territory •
Georgia del Sur, Territorio Británico de Ultramar

PAUL NICKLEN / NATIONAL GEOGRAPHIC CREATIVE

islas de San Pablo y Ámsterdam (61 kilómetros cuadrados), la Isla Príncipe Eduardo y la Marion (335 kilómetros cuadrados). Entre las islas del Océano Antártico más afectadas por el hombre se encuentra Grande Terre en el Archipiélago Kerguelen, en donde están establecidas poblaciones de oveja asilvestrada, gatos, conejos y roedores.

Al sur de Australia se encuentra la Isla Macquarie, la Heard y la McDonald. Macquarie (128 kilómetros cuadrados) es la única isla del Océano Antártico que no tiene origen volcánico. Es una plataforma oceánica emergida que colinda con tres placas tectónicas. Las Heard y MacDonald tienen los únicos volcanes activos de Australia. Estas islas se encuentran entre las menos perturbadas del Océano Antártico con solamente dos plantas identificadas como no nativas. Las islas sub-antárticas de Nueva Zelanda incluyen a las Aucklands (625 kilómetros cuadrados), la isla Campbell (113 kilómetros cuadrados), las Antípodas (20 kilómetros cuadrados), las Snares (3.5 kilómetros cuadrados) y el grupo de islas Bounty (1.5 kilómetros cuadrados). Estas islas acogen ejemplares extraordinarios de flora insular del Océano Antártico que comprenden a comunidades de mega-hierbas de grandes flores silvestres a menudo de color poco usual y enormes hojas.

Para la mayoría de las islas del Océano Antártico, la biota evolucionó en ausencia de mamíferos terrestres, por lo que la introducción de especies exóticas ha tenido efectos devastadores. En la actualidad la mayoría de las islas del Océano Antártico están siendo beneficiadas por una protección importante. Algunas de las intervenciones más ambiciosas del mundo han tenido lugar allí buscando revertir los efectos de las especies invasoras, incluyendo la erradicación de los gatos en la Isla Marion, las ratas de la Campbell y más recientemente, los gatos, ratas, conejos y ratones de la Isla Macquarie, acciones que constituyen una fuente de esperanza para la conservación de las islas en todo el mundo.

Thalassarche melanophris
Black-browed Albatrosses • Albatros de Ceja Negra
Falkland Islands, British Overseas Territory •
Islas Malvinas, Territorio Británico de Ultramar

PAUL NICKLEN / NATIONAL GEOGRAPHIC CREATIVE

Diomedea exulans
Wandering Albatrosses • Albatros Errantes
Prion Island, South Georgia, British Overseas Territory •
Isla Prion, Georgia del Sur, Territorio Británico de Ultramar

PAUL NICKLEN / NATIONAL GEOGRAPHIC CREATIVE

Aptenodytes patagonicus and *Mirounga leonina*
King Penguins and Southern Elephant Seals •
Pingüinos Rey y Elefantes Marinos del Sur
South Georgia, British Overseas Territory •
Georgia del Sur, Territorio Británico de Ultramar

PAUL NICKLEN / NATIONAL GEOGRAPHIC CREATIVE

222

Falkland Islands, British Overseas Territory •
Islas Malvinas, Territorio Británico de Ultramar

CRISTINA MITTERMEIER / NATIONAL GEOGRAPHIC CREATIVE

Arctic Islands
Islas Árticas

Cristina G. Mittermeier and Paul Nicklen

From the Greek word Arktikós, the word "Arctic" means "the land of the North." It relates to Arktos, the Great Bear—the star constellation close to the Pole Star. The Arctic is where the sun does not set on the summer solstice and does not rise on the winter solstice. Geographically, the Arctic is defined as the land and sea north of the Arctic Circle, while in ecological terms, this region includes lands north of the tree line, where mean temperatures typically reach no higher than 12°C during the warmest summer month. Converse to Antarctica, the Arctic is an ocean surrounded by landmass, contributing to warmer temperatures at equivalent polar latitudes.

The Arctic Ocean covers approximately 10 million square kilometers, with thousands of islands scattered throughout. These islands are fragments of continental masses from North America, Europe, and Asia. Snow and ice are a major feature of Arctic Islands, and only a few are inhabited by people year-round. Many unique human cultures evolved in this region, such as the Inuit communities of Baffin Island. The land within the Arctic Circle is divided among eight countries: Norway, Sweden, Finland, Russia, Denmark (Greenland and the Faroe Islands), Iceland, Canada (Yukon, Northwest Territories, and Nunavut), and the United States (Alaska).

The Arctic is home to the largest island on the planet, Greenland with a land area of 2,166,086 square kilometers (including other offshore

---

Odobenus rosmarus
Walrus • Morsa
Svalbard, Norway • Svalbard, Noruega
PAUL NICKLEN / NATIONAL GEOGRAPHIC CREATIVE

Del griego *arktikós*, la palabra "ártico" significa "tierra del norte" y tiene relación con Arktos, el "Gran Oso" —la constelación cercana a la Estrella Polar. El Ártico es el lugar en donde el sol no se esconde en el solsticio de verano y no aparece en el solsticio de invierno. Geográficamente, el Ártico define a la tierra y el mar al norte del Círculo Ártico, mientras que desde la óptica ecológica es la región que abarca las tierras al norte de la delimitación forestal en las que la temperatura media normalmente no se eleva a más de 12°C durante el mes más cálido del verano. Al contrario del Antártico, el Ártico es un océano rodeado por continentes, lo que favorece las temperaturas más benignas que en latitudes antípodas.

El Océano Ártico se extiende unos 10 millones de kilómetros cuadrados y comprende a miles de islas dispersas alrededor. Las islas son fragmentos de la masa continental de América del Norte, Europa y de Asia. El hielo y la nieve son característicos de las Islas Árticas y solo unas cuantas están habitadas por personas todo el año. En esta región evolucionaron muchas culturas singulares, como la del pueblo Inuit de la Isla de Baffin. Las tierras del Ártico están divididas entre nueve naciones: Noruega; Suecia, Finlandia, Rusia, Dinamarca (Groenlandia y las Islas Feroe), Islandia, Canadá (Yukón, Territorios del Norte y Nunavut), y los Estados Unidos (Alaska).

En el Ártico se encuentra la isla más grande del planeta, Groenlandia. Tiene una superficie de 2'166,086 kilómetros cuadrados (incluyendo islas territoriales menores) y el 80 por ciento está cubierta por un grueso casquete glaciar. Tanto las agrestes islas Feroe (1,400 kilómetros cuadrados) como Groenlandia son territorios daneses. Islandia (103,000 kilómetros cuadrados) apenas toca el Círculo Ártico y tiene un clima menos extremoso y escasa vegetación. La Isla Jay Mayen y

minor islands). Eighty percent of the island is covered by the Greenland ice sheet. The mountainous Faroe Islands (1,400 square kilometers) and Greenland are both dependencies of Denmark. Iceland (103,000 square kilometers) barely touches the Arctic Circle and has a much milder climate, but still has a sparsely-vegetated landscape. Jan Mayen and Svalbard, part of Norway, are quintessentially Arctic—remote and harsh, but habitable. The Alaskan Island of Saint Lawrence (4,640 square kilometers) is one of the largest US Islands and the only Arctic Island still inhabited by Yupik people. Lying north of mainland Canada, the Canadian Arctic Archipelago consists of 94 major islands greater than 130 square kilometers, and 36,469 smaller islands, covering a total of 1.4 million square kilometers. Baffin, with an area of 507,451 square kilometers and a population of about 11,000, is the largest island in Canada and the fifth largest in the world.

All the Arctic islands belonging to Russia are located within the Arctic Circle and are scattered through the Barents Sea, Kara Sea, Laptev Sea, East Siberian Sea, Chukchi Sea and the Bering Sea. The largest, Severny Island, with an area of about 48,904 square kilometers, is Russia's second largest island.

Over 21,000 species of animals, plants, and fungi have been recorded in the Arctic, and many of them are found on the larger islands. A considerable portion of these are endemic to the Arctic or shared with the boreal zone, but climate-driven range dynamics have left little room for lasting specialization to local conditions and speciation. There are some 270 vascular plant species, 325 mosses, around 100 liverworts and 550 to 600 lichens on the Arctic islands. The number of plant species rapidly decreases north of the mainland. Trees completely disappear, and the flora of the Tundra is dominated by dwarf shrubs, sedges, grasses, mosses, and lichens. Plant species are widespread and have a circumpolar distribution.

The number of animal species also decreases north from the mainland. Some twenty species of land mammals live on Arctic islands,

el archipiélago Svalbard son parte de Noruega y son netamente árticas —remotas y escabrosas, pero habitadas. La isla San Lorenzo (4,640 kilómetros cuadrados) de Alaska, es una de las islas estadounidenses más grandes y la única isla ártica que continúa siendo ocupada por el pueblo Yupik. Al norte de Canadá continental, el Archipiélago Ártico Canadiense consiste de un grupo de 94 islas mayores de 130 kilómetros cuadrados y 36,469 islas menores, cubriendo un total de 1.4 millones de kilómetros cuadrados. La isla canadiense más grande y quinta a nivel mundial es la Baffin, con una superficie de 507,451 kilómetros cuadrados y una población alrededor de 11,000 personas.

Todas las Islas Árticas que le pertenecen a Rusia están localizadas en el Círculo Ártico y dispersas en los mares de Barents, Kara, Laptev, Chukchi, Bering y el Mar de Siberia Oriental. La más grande es Séverny, con una superficie de 48,904 kilómetros cuadrados y es la segunda isla más grande de Rusia.

En el Ártico se han registrado más de 21,000 especies de animales, plantas y hongos. Muchos de ellos identificados en las islas mayores. Una parte considerable de éstos son endémicos del Ártico, o son compartidos con la zona boreal. La dinámica climática de las islas ha dejado poco espacio a la especiación o a la especialización a los ambientes locales. En las islas están presentes alrededor de 270 especies de plantas vasculares, 325 musgos, unas 100 hepáticas y entre 550 y 600 líquenes. El número de plantas decrece drásticamente al norte del continente. Los árboles desaparecen completamente y la flora de la tundra está dominada por matorral bajo, juncos, pastos, musgos y líquenes. La flora se distribuye de forma radial en torno al Polo.

La diversidad de especies animales decrece hacia el norte. En las islas existen unas 20 especies de mamíferos terrestres, generalmente en pequeñas cantidades. Las tierras altas de las Islas Árticas están habitadas por el Caribú de Peary (*Rangifer tarandus pearyi*), una subespecie de menor talla y color más pálido que el caribú americano. Otros mamíferos del archipiélago incluyen al Zorro Ártico (*Vulpes lagopus*), el Buey Almizclero (*Ovibos moschatus*), el Lobo Ártico (*Canis lupus arctos*), la Libre Ártica (*Lepus arcticus*) y los Leminos. Más de 60 especies de aves pasan el verano en las islas altas del Ártico y solamente seis permanecen durante el invierno, entre ellos el Cuervo común (*Corvus corax*) y el Búho Nival (*Bubo scandiacus*). El mar circundante está habitado por el Oso Polar (*Ursus maritimus*), la Morsa (*Odobenus rosmarus*) y varias

generally in small numbers. The High Arctic islands are home to Peary Caribou (*Rangifer tarandus pearyi*), a smaller and lighter-in-color subspecies than the Barren-ground Caribou (*Rangifer tarandus groenlandicus*). Other mammals in the archipelago include the Arctic Fox (*Vulpes lagopus*), Muskox (*Ovibos moschatus*), Arctic Wolf (*Canis lupus arctos*), Arctic Hare (*Lepus arcticus*), and lemmings. Over 60 species of birds spend the summer in the High Arctic islands, but only six, including Raven (*Corvus corax*) and Snowy Owl (*Bubo scandiacus*) overwinter there. The surrounding seas are home to Polar Bear (*Ursus maritimus*) and Walrus (*Odobenus rosmarus*), and several seals and whales, including the Harp Seal (*Pagophilus groenlandicus*) and the Ringed Seal (*Pusa hispida*), the Narwhal (*Monodon monoceros*) and the Beluga (*Delphinapterus leucas*).

The Inuit people have lived in the High Arctic for most of the past 4,000 years, and today the majority of Inuits in Canada and Greenland continue to live in the north, including in many coastal settlements scattered throughout the islands.

The Arctic is experiencing climate warming faster and more intensely than the lower-latitudes. Changes in the high Arctic include reduced sea ice and the retreating and thinning of many glaciers. Annual mean temperatures in the Arctic are predicted to increase by 4–7°C during this century, with the most significant warming occurring in winter (as much as 12°C according to some scenarios). Building resilience through increased protection of Arctic landscapes and species is the best way to address these challenges.

especies de ballenas y focas, incluyendo la Foca Pía (*Pagophilus groenlandicus*), la Foca Ocelada (*Pusa hispida*), el Narval (*Monodon monoceros*) y la Beluga (*Delphinapterus leucas*).

El pueblo Inuit ha poblado el alto Ártico por casi 4,000 años. La mayoría de los Inuit canadienses y de Groenlandia continúan habitando la parte norte de las islas, normalmente en asentamientos costeros esparcidos por todas las islas.

En el Ártico, el calentamiento climático se ha intensificado más que en las latitudes menores. Los cambios que se registran en el alto Ártico son la reducción del hielo marino y el repliegue y adelgazamiento de muchos glaciares. Se anticipa un incremento de temperatura del Ártico de 4–7°C para el presente siglo, en particular durante los inviernos (algunos escenarios arrojan hasta +12°C). Se cree que los dramáticos cambios en el Ártico tendrán efectos de gran calado en todo el mundo, incluyendo el incremento del nivel del mar y la alteración de los patrones oceanográficos que determinan el clima planetario. La mejor manera de superar estos retos es incrementando la resiliencia de este hábitat mediante la protección del ecosistema ártico y sus especies.

Previous pages: • *Páginas anteriores:*
Monodon monoceros
Narwhals • Narvales
Baffin Island, Canada • Isla de Baffin, Canadá
PAUL NICKLEN / NATIONAL GEOGRAPHIC CREATIVE

Bubo scandiacus
Snowy Owl • Búho Nival
Wrangel Island, Russia • Isla de Wrangel, Rusia
SERGEY GORSHKOV

Inuit Hunter • Cazador Inuit
Thule, Greenland • Thule, Groenlandia
CRISTINA MITTERMEIER / NATIONAL GEOGRAPHIC CREATIVE

Delphinapterus leucas
Beluga Whale • Beluga
Somerset Island, Nunavut, Canada • Isla Somerset, Nunavut, Canadá

ART WOLFE

Following pages: • *Páginas siguientes:*
Melting Ice Cap • Derretimiento del Casquete Polar
Nordaustlandet, Svalbard, Norway • Nordaustlandet, Svalbard, Noruega

PAUL NICKLEN / NATIONAL GEOGRAPHIC CREATIVE

References • Referencias

Introduction • Introducción

Aguilera, W.T., J. Málaga, and J.P. Gibbs. "Giant tortoises hatch on Galapagos island." *Nature* 517 (2015): 271.

Aguirre-Muñoz, A. *et al.* "High-impact conservation: Invasive mammal eradications from the islands of western Mexico." *Ambio* 37 (2008): 101–107.

Aguirre-Muñoz, A. *et al.* "Eradications of invasive mammals on islands in Mexico: The roles of history and the collaboration between government agencies, local communities and a non-government organization." In *Island Invasives: Eradication and Management,* eds. C.R. Veitch, M.N. Clout and D. Towns. Gland, Switzerland: IUCN, 2011, 386–393.

Aslan, C.E., E.S. Zavaleta, D. Croll, and B. Tershy. "Effects of native and non-native vertebrate mutualists on plants." *Conserv. Biol.* 26 (2012): 778–789.

Atkinson, I.A.E. "The spread of commensal species of *Rattus* to oceanic islands and their effects on island avifaunas." In *Conservation of Island Birds*, ed. P.J. Moors. London: ICBP Technical Publ. No. 3, 1985, 35–81.

Bedolla-Guzmán, Y. *et al.* "Seabird restoration on Mexican islands following the eradication of invasive mammals." In *Proceedings of the 2017 Island Invasives Conference, Dundee, Scotland*, ed. C.R. Veitch. Gland, Switzerland: IUCN SSC Invasive Species Specialist Group, in press.

Bellard, C., C. Bertelsmeier, P. Leadley, W. Thuiller, and F. Courchamp. "Impacts of climate change on the future of biodiversity." *Ecol. Lett.* 15 (2012): 365–377.

BirdLife International. IUCN Red List for birds. <www.birdlife.org>, 2018.

Brooke, M. de L. *et al.* "Seabird population changes following mammal eradications on islands." *Anim. Conserv.* 21 (2017): 3–12.

Caujape-Castells, J. *et al.* "Conservation of oceanic island floras: Present and future global challenges." *Perspect. Plant Ecol.* 12 (2010): 107–129.

Collar, N., C.J. Sharpe, and P. Boesman. Kakapo (*Strigops habroptila*). In: *Handbook of the Birds of the World Alive*, eds. J. del Hoyo, A. Elliott, J. Sargatal, D.A. Christie, and E. de Juana. Barcelona: Lynx Edicions, 2018. <https://www.hbw.com/node/54484>.

Doherty, T.S., A.S. Glen, D.G. Nimmo, E.G. Ritchie, and C.R. Dickman. "Invasive predators and global biodiversity loss." *PNAS* 113 (2016): 11261–11265.

Dransfield, J., and M. Rakotoarinivo. "The biogeography of Madagascar palms." In *The Biology of Island Floras*, eds. D. Bramwell and J. Caujape-Castells. Cambridge: Cambridge University Press, 2011, 179–196.

Glaw, F., J. Köhler, T.M. Townsend, and M. Vences. "Rivaling the world's smallest reptiles: Discovery of miniaturized and microendemic new species of leaf chameleons (*Brookesia*) from northern Madagascar." *PLoS ONE* 7 (2012): e31314.

Goodman, S.M., and W.L. Jungers. *Extinct Madagascar: Picturing the Island's Past*. Chicago, IL: University of Chicago Press, 2014.

Gorenflo, L.J., S. Romaine, R.A. Mittermeier, and K. Walker-Painemilla. "Co-occurrence of linguistic and biological diversity in biodiversity hotspots and high biodiversity wilderness areas." *PNAS* 109 (2012): 8032–8037.

Hansen, D.M., and M. Galetti. "The forgotten megafauna." *Science* 324 (2009): 42–43.

Henderson, S.J., and R.J. Whittaker. "Islands." *eLS*. New York: John Wiley, 2003.

Hilton, G.M., and R.J. Cuthbert. "The catastrophic impact of invasive mammalian predators on birds of the UK Overseas Territories: A review and synthesis." *Ibis* 152 (2010): 443–458.

Hoegh-Guldberg, O. *et al. The Coral Triangle and Climate Change: Ecosystems, People and Societies at Risk*. Brisbane: WWF Australia, 2009.

Hoffmann, M. *et al.* "The impact of conservation on the status of the world's vertebrates." *Science* 330 (2010): 1503–1509.

IPCC. *Climate Change 2014: Synthesis Report. Contribution of Working Groups I, II and III to the Fifth Assessment Report of the Intergovernmental Panel on Climate Change*. Geneva, Switzerland: IPCC, 2014.

IUCN. The IUCN Red List of Threatened Species V. 2016.2. <www.iucnredlist.org>.

Jones, C.G. "*Falco punctatus* Mauritius Kestral / Cernicalo de Mauricio, *Noesoenas mayeri* Pink Pigeon / Paloma Rosada de Mauricio, *Psittacula eques* Echo Parakeet / Cotorra de Mauricio." In *Back from the Brink: 25 Conservation Success Stories*, eds. R.A. Mittermeier *et al*. Mexico City: CEMEX, 2017, 44–51.

Jones, H. P. *et al.* "Invasive mammal eradication on islands results in substantial conservation gains." *PNAS* 113 (2016): 4033–4038.

Jones, H.P., and S.W. Kress. "A review of the world's active seabird restoration projects." *J. Wildl. Manage.* 76 (2012): 2–9.

Aptenodytes patagonicus and *Sterna vittata*
King Penguin and Antarctic Tern • Pigüino Rey y Gaviotín Antártico
Salisbury Plain, South Georgia • Planicie de Salisbury, Georgia del Sur
NICK GARBUTT

Keeley, S.C., and V.A. Funk. "Origin and evolution of Hawaiian endemics: New patterns revealed by molecular phylogenetic studies." In *The Biology of Island Floras*, eds. D. Bramwell and J. Caujape-Castells. Cambridge: Cambridge University Press, 2011, 57–88.

Keitt, B.S., and B.R. Tershy. "Cat eradication significantly decreases shearwater mortality." *Anim. Conserv.* 6 (2003): 307–308.

Kew Royal Botanical Gardens. *State of the World's Plants.* Kew, UK, 2017.

Kier, G., H. Kreft, T.M. Lee, W. Jetz, P.L. Ibisch, C. Nowicki, J. Mutke, and W. Barthlott. "A global assessment of endemism and species richness across island and mainland regions." *PNAS* 106 (2009): 9322–9327.

Leong, J.-A. *et al.* "Hawai'i and U.S. Affiliated Pacific Islands." In *Climate Change Impacts in the United States: The Third National Climate Assessment*, eds. J.M. Melillo, T.C. Richmond and G.W. Yohe. Washington, DC: U.S. Global Change Research Program, 2014, 537–556.

Magrath, M.J.L., and R. Cleave. "*Dryococelus australis* Lord Howe Island Phasmid / Fásmido de la Isla Howe." In *Back from the Brink: 25 Conservation Success Stories*, eds. R. A. Mittermeier *et al.* Mexico City: CEMEX, 2017, 116–121.

Marticorena, C., T.F. Stuessy, and C. Baeza. "Catalogue of the vascular flora of the Robinson Crusoe or Juan Fernández Islands, Chile." *Gayana Botánica* 55 (1998): 187–211.

Martin, T.G. *et al.* "Acting fast helps avoid extinction." *Conserv. Lett.* 5 (2012): 274–280.

McCauley, D.J., P.A. DeSalles, H.S. Young, R.B. Dunbar, R. Dirzo, M.M. Mills, and F. Micheli. "From wing to wing: The persistence of long ecological interaction chains in less-disturbed ecosystems." *Sci. Rep.* 2 (2012): 409.

Mittermeier, R.A., and A.B. Rylands. "Biodiversity hotspots." In: *Encyclopedia of the Anthropocene*, Vol. 3, ed. T. E. Lacher Jr. Oxford: Elsevier, 2018, 67–75.

Mittermeier, R.A., N. Myers, P. Robles-Gil, and C.G. Mittermeier, eds.. *Hotspots: Earth's Biologically Richest and Most Endangered Terrestrial Ecoregions.* Mexico City: CEMEX, 1999.

Mittermeier, R.A., *et al. Hotspots Revisited.* Mexico City: CEMEX, 2004.

Mittermeier, R.A., *et al. Lemurs of Madagascar.* 3rd ed. Arlington, VA: Conservation International, 2010.

Mulder, C.P.H., W.B. Anderson, D.R. Towns, and P.J. Bellingham. *Seabird Islands: Ecology, Invasion and Restoration.* Oxford: Oxford University Press, 2011.

Myers, N. "Threatened biotas: 'Hotspots' in tropical forests." *Environ. Sci. Technol.* 8 (1988): 187–208.

Newton, I. *The Speciation and Biogeography of Birds.* London: Academic Press, 2003.

Newton, K.M. *et al.* "Response of native species ten years after rat eradication on Anacapa Island, California." *J. Fish Wildl. Manage.* 7 (2016): 1–14.

Nicholls, R.J., and A. Cazenave. "Sea-level rise and its impact on coastal zones." *Science* 328 (2010): 1517–1520.

NZ DOC. Predator Free New Zealand 2050. Wellington: New Zealand Dept. of Conservation. <www.doc.govt.nz/predator-free-2050>, 2017.

Olson, S. *Evolution in Hawaii: A Supplement to 'Teaching about Evolution and the Nature of Science'.* Washington, DC: National Academy of Sciences, 2004.

Pierce, R., and C. Blanvillain. "Current status of the endangered Tuamotu Sandpiper or Titi *Prosobonia cancellata* and recommended actions for its recovery." *Wader Study Group Bull.* 105 (2004): 93–100.

Posa, M.R.C., A.C. Diesmos, N.S. Sodhi, and T.M. Brooks. "Hope for threatened tropical biodiversity: Lessons from the Philippines." *BioScience* 58 (2008): 231–240.

Pratt, K.T. "Origins and evolution." In *Conservation Biology of Hawaiian Forest Birds. Implications for Island Avifauna*, eds. K.T. Pratt *et al.* New Haven: Yale University Press, 2009, 3–24.

Ricketts, T.H. *et al.* "Pinpointing and preventing imminent extinctions." *PNAS* 102 (2005): 18497–18501.

Rodrigues, A.S.L., T.M. Brooks, S.H.M. Butchart, J. Chanson, N. Cox, M. Hoffmann, and S.N. Stuart. "Spatially explicit trends in the global conservation status of vertebrates." *PLoS One* 9 (2014): e113934.

Spatz, D.R., K.M. Zilliacus, N.D. Holmes, S.H.M. Butchart, P. Genovesi, G. Ceballos, B.R. Tershy, and D.A. Croll. "Globally threatened vertebrates on islands with invasive species." *Sci. Adv.* 3 (2017): e1603080.

Steadman, D. "Prehistoric extinctions of Pacific island birds: Biodiversity meets zooarchaeology." *Science* 267 (1995): 1123–1131.

Temple, S.A. "Plant-animal mutualism: Coevolution with Dodo leads to near extinction of plant." *Science* 197 (1977): 885–886.

Tershy, B.R., K.-W. Shen, K.M. Newton, N.D. Holmes, and D.A. Croll. "The importance of islands for the protection of biological and linguistic diversity." *Bioscience* 65 (2015): 592–597.

Threatened Island Biodiversity Partners. The Threatened Island Biodiversity Database: Island Conservation, University of California Santa Cruz Coastal Conservation Action Lab, BirdLife International and IUCN Invasive Species Specialist Group. Version 2014.1. <http://tib.islandconservation.org>, 2014.

U.S. Fish and Wildlife Service. *Revised Recovery Plan for the Laysan Duck* (Anas laysanensis). Portland: U.S. Fish and Wildlife Service, 2009.

UNEP-WCMC. Global distribution of islands. Global Island Database (version 2.1, November 2015). Based on Open Street Map data (© OpenStreetMap contributors). <www.unep-wcmc.org>, Cambridge, UK, 2015.

VanderWerf, E.A., J.J. Groombridge, J. Scott Fretz, and K.J. Swinnerton. "Decision analysis to guide recovery of the Po'ouli, a Critically Endangered Hawaiian honeycreeper." *Biol. Conserv.* 129 (2006): 383–392.

Veitch, C.R., M.N. Clout, and D.R. Towns, (eds). *Island Invasives: Eradication and Management. Proceedings of the International Conference on Island Invasives.* Gland, Switzerland and Auckland, New Zealand: IUCN, 2011.

Weigelt, P., W. Jetz, and H. Kreft. "Bioclimatic and physical characterization of the world's islands." *PNAS* 110 (2013): 15307–15312.

Whittaker, R.J., and J.M. Fernández-Palacios. *Island Biogeography: Ecology, Evolution and Conservation.* 2nd ed. New York: Oxford University Press, 2007.

Whitworth, D.L., H.R. Carter, and F. Gress. "Recovery of a threatened seabird after eradication of an introduced predator: Eight years of progress for Scripps's murrelet at Anacapa Island, California." *Biol. Conserv.* 162 (2013): 52–59.

Winterer, E.L. "Atolls." In *Encyclopedia of Islands,* eds. R.G. Gillespie and D.A. Clague. Berkeley, CA: University of California Press, 2009, 67–70.

Woinarski, J.C.Z., A.A. Burbidge, and P.L. Harrison. "Ongoing unraveling of a continental fauna: Decline and extinction of Australian mammals since European settlement." *PNAS* 112 (2015): 4531–4540.

Madagascar and Western Indian Ocean Islands •
Madagascar e islas del Océano Índico Occidental

Cheke, A., and J. Hume. *Lost Land of the Dodo: An Ecological History of Mauritius, Réunion & Rodrigues.* New Haven, NY: Yale University Press, 2008.

Critical Ecosystem Partnership Fund (CEPF). *Ecosystem Profile: Madagascar and Indian Ocean Islands Biodiversity Hotspot.* Arlington, VA, 2014.

Goodman, S.M., and J.P. Benstead, eds. *The Natural History of Madagascar.* Chicago, IL: University of Chicago Press, 2003.

Jacques, J.-C. ed. *Atlas: Biodiversity of the Francophonie: Richness and Vulnerabilities.* Brussels, Belgium: IUCN, European Regional Office (IUCN EURO), Organisation Internationale de la Francophone (OIF), and Institut de l'Energie et de l'Environnement de la Francophone (IEPF), 2010.

Mittermeier, R.A., W.R. Konstant, C.G. Mittermeier, R.B. Mast, and J.D. Murdoch. "Madagascar and Indian Ocean Islands." In *Hotspots*, eds. R.A. Mittermeier *et al.* Mexico City: CEMEX, 1999, 188–203.

Mittermeier, R.A. *et al.* "Madagascar and the Indian Ocean Islands." In *Hotspots Revisited*, eds. R. A. Mittermeier *et al.* Mexico City: CEMEX, 2004, 138–144.

Mittermeier, R.A. *et al. Lémuriens de Madagascar.* Paris: Publications scientifiques du Muséum d' Histoire Naturelle, and Arlington, VA: Conservation International, 2014.

Sri Lanka and Eastern Indian Ocean Islands •
Sri Lanka e Islas del Océano Índico Oriental

Critical Ecosystem Partnership Fund (CEPF). *Ecosystem Profile: Western Ghats and Sri Lanka Biodiversity Hotspot.* Arlington, VA, 2007.

Kumar, A., W.R. Konstant, and R.A. Mittermeier. "Western Ghats and Sri Lanka." In *Hotspots*, eds. R.A. Mittermeier *et al.* Mexico City: CEMEX, 1999, 351–363.

Kumar, A., R. Pethiyagoda, and D. Mudappa. "Western Ghats and Sri Lanka." In *Hotspots Revisited*, eds. R.A. Mittermeier *et al.* Mexico City: CEMEX, 2004, 152–156.

Van Dijk, P.P., Ashton, P. and Jinshuang, M. "Indo-Burma" In *Hotspots Revisited*, eds. R.A. Mittermeier *et al.* Mexico City: CEMEX, 2004, 319–334.

Sundaland • Región de la Sonda

Eaton, J.A., B. van Balen, N.W. Brickle, and F.E. Rheindt. *Birds of the Indonesian Archipelago: Greater Sundas and Wallacea.* Barcelona: Lynx Edicions, 2016.

MacKinnon, J., and K. Phillipps. *A Field Guide to the Birds of Borneo, Sumatra, Java and Bali.* Oxford: Oxford University Press, 1993.

Whitten, T., S.J. Damanik, J. Anwar, and N. Hisyam. *The Ecology of Sumatra.* Oxford: Oxford University Press, 1997.

Whitten, T., R.E. Soeriaatmadja, and S.A. Afiff. *The Ecology of Java and Bali.* Oxford: Oxford University Press, 1996.

Whitten, T., R.E. Soeriaatmadja, and S.A. Afiff, *The Ecology of Kalimantan.* Oxford: Oxford University Press, 2000.

Phillipps, Q., and K. Phillips. *Phillipps' Field Guide to the Mammals of Borneo, and Their Ecology: Sabah, Sarawak, Brunei, and Kalimantan.* Oxford, UK: John Beaufoy, 2016.

Wallacea • Wallacea

Coates, B.J. and D. Bishop. *A Guide to the Birds of Wallacea: Sulawesi, the Moluccas and Lesser Sunda Islands, Indonesia.* The Gap, QLD, Australia: Dove, 1997.

Critical Ecosystem Partnership Fund (CEPF). *Ecosystem Profile: Wallacea Biodiversity Hotspot.* Arlington, VA, 2007.

Critical Ecosystem Partnership Fund (CEPF). *Ecosystem Profile: Wallacea Biodiversity Hotspot.* Arlington, VA, 2014.

Eaton, J.A., B. van Balen, N.W. Brickle, and F.E. Rheindt. *Birds of the Indonesian Archipelago: Greater Sundas and Wallacea.* Barcelona: Lynx Edicions, 2016.

Elliott, A. and G.M. Kirwan. "Maleo (*Macrocephalon maleo*)." In *Handbook of the Birds of the World Alive*, eds. J. del Hoyo, A. Elliott, J, Sargatal, D. A. Christie, and E. de Juana. Barcelona: Lynx Edicions, 2018. <https://www.hbw.com/species/maleo-macrocephalon-maleo>. 2018.

Whitten, T., J. Whitten, R.A. Mittermeier, C.G. Mittermeier, J. Supriatna, and P.P. van Dijk. "Wallacea." In *Hotspots,* eds. R.A. Mittermeier *et al.* Mexico City: CEMEX, 1999, 296–307.

Whitten, T., J. Supriatna, R. Saryanthi, and P. Wood. "Wallacea." In *Hotspots Revisited*, eds. R. A. Mittermeier *et al.* Mexico City: CEMEX, 2004, 172–177.

The Philippines • Las Filipinas

Ambal, R.G.R., M.V. Duya, M.A. Cruz, O.G. Coroza, S.G. Vergara, N. de Silva, N. Molinyawe, and B. Tabaranza. "Key Biodiversity Areas in the Philippines: priorities for conservation." *J. Threat.* Taxa 4 (2012): 2788–2796.

Carpenter, K.E., and V.G. Springer. The center of the center of marine shore fish biodiversity: the Philippine Islands. *Environ. Biol. Fishes* 72 (2005): 467–480.

Catibog-Sinha, C.S., and L.R. Heaney. *Philippine Biodiversity: Principles and Practice.* Quezon City: Haribon Foundation for the Conservation of Natural Resources, Inc., 2006.

Heaney, L. R., P. S. Ong, R. Trono, L. Co, and T. Brooks. "The Philippines." In *Hotspots Revisited*, eds. R.A. Mittermeier *et al.* Mexico City: CEMEX, 2004, 179–183.

Ismail, G.B., D.B. Sampson, and D.L. Noakes. "The status of Lake Lanao endemic cyprinids (*Puntius* species) and their conservation." *Environ. Biol. Fishes* 97 (2014): 425–434.

Posa, M.R.C., A.C. Diesmos, N.S. Sodhi, and T.M. Brooks. "Hope for threatened tropical biodiversity: lessons from the Philippines." *BioScience* 58 (2008): 231–240.

Weeks, R., G.R. Russ, A.C. Alcala, and A.T. White. "Effectiveness of Marine Protected Areas in the Philippines for biodiversity conservation." *Conserv. Biol.* 24 (2010): 531–540.

Melanesia • Melanesia

Beehler, B. M., and T. K. Pratt. *Birds of New Guinea: Distribution. Taxonomy, and Systematics.* Princeton, NJ: Princeton University Press, 2016.

Beehler, B. M., G. Kula, J. Supriatna, R. A. Mittermeier, and J. Pilgrim. "New Guinea." In: *Wilderness: Earth's Last Wild Places*, eds. R.A. Mittermeier *et al.* Mexico City: CEMEX, 2002, 134–163.

Beehler, B. M., R. James, T. Stevenson, G. Dutson, and F. Martel. "East Melanesian Islands Hotspot". In: *Hotspots Revisited*, eds. R.A. Mittermeier *et al.* Mexico City: CEMEX, 2004, 347–359.

Critical Ecosystem Partnership Fund (CEPF). *Ecosystem Profile: East Melanesia Islands Biodiversity Hotspot.* Arlington, VA, 2012.

Marshall, A. M., and B.M. Beehler, eds. *Ecology of Papua.* Singapore: Periplus, 2007.

Pratt, T. K., and B.M. Beehler. *Birds of New Guinea.* 2nd edit. Princeton, NJ: Princeton University Press, 2014.

Watling, D. *Guide to the Birds of Fiji and Western Polynesia.* Suva: Fiji, 2003.

New Zealand and Australian Islands • Nueva Zelanda e Islas Australianas

Brothers, N., D. Pemberton, H. Pryor, and V. Halley. *Tasmania's Offshore Islands: Seabirds and Other Natural Features.* Hobart, Tasmania: Tasmanian Museum and Art Gallery, 2001.

Gillespie, R.G., and D.A. Clague, eds. *Encyclopedia of Islands.* Berkeley, CA: University of California Press, 2009.

Given, D.R., and R.A. Mittermeier. "New Zealand." In *Hotspots*, eds. R.A. Mittermeier *et al.* Mexico City: CEMEX, 1999, 378–389.

Given, D. R., A. Saunders, D. Towns, A. Tennyson, and K. Nielson. "New Zealand." In *Hotspots Revisited*, eds. R.A. Mittermeier *et al.* Mexico City: CEMEX, 2004, 187 191.

Hutton, I. *Birds of Lord Howe Island: Past and Present.* Privately published, 1991.

Far Western Pacific Islands • Pacífico Occidental Lejano

Boufford, D. E., Y. Hibi, and H. Tada. "Japan." In *Hotspots Revisited*, eds. R.A. Mittermeier *et al.* Mexico City: CEMEX, 2004, 333–344.

Brazil, M. *Birds of East Asia: China, Taiwan, Korea, Japan and Russia.* Princeton, NJ: Princeton University Press, 2009.

Van Dijk, P.P., P. Ashton, and M. Jinshuang, "Indo-Burma." In *Hotspots*, eds. R.A. Mittermeier *et al.* Mexico City: CEMEX, 1999, 319-334.

Van Dijk, P.P., A. W. Tordoff, J. Fellowes, M. Lau, and M. Jinshuang. "Indo-Burma". In *Hotspots Revisited*, eds. R.A. Mittermeier *et al.* Mexico City: CEMEX, 2004, 323–331.

Polynesia and Micronesia • Polinesia y Micronesia

Allison, A., and L. G. Eldridge. "Polynesia / Micronesia." In *Hotspots*, eds. R.A. Mittermeier *et al.* Mexico City: CEMEX, 1999, 390–403.

Allison, A., and Eldridge, L. G. "Polynesia-Micronesia." In *Hotspots Revisited,* eds. R.A. Mittermeier *et al.* Mexico City: CEMEX, 2004, 197–203.

Baptista, L.F., P.W. Trail, H.M. Horblit, G.M. Kirwan, and C.J. Sharpe. "Tooth-billed Pigeon (*Didunculus strigirostris*)." In *Handbook of the Birds of the World Alive*, eds. J. del Hoyo, A. Elliott, J, Sargatal, D.A. Christie, and E. de Juana. Barcelona: Lynx Edicions, 2018. <https://www.hbw.com/species/tooth-billed-pigeon-didunculus-strigirostris>.

Critical Ecosystem Partnership Fund (CEPF). *Ecosystem Profile: Polynesia-Micronesia Biodiversity Hotspot.* Arlington, VA, 2007.

Eastern Pacific Islands • Islas del Pacífico Oriental

Edgar, G.J. *et al.* "El Niño, grazers and fisheries interact to greatly elevate extinction risk for Galapagos marine species." *Glob. Change Biol.* 16 (2010): 2876–2890.

Haberle, S. "Juan Fernandez Islands." In *Encyclopedia of Islands*, eds. R.G. Gillespie and D.A. Clague. Berkeley, CA: University of California Press, 2009, 507–509.

Henderson, S.J., and R.J. Whittaker. "Islands." In: *Encyclopedia of Life Sciences*. Macmillan Reference, 2002, 16pp.

Salinas de León, P., D. Acuña-Marrero, É. Rastoin, A.M. Friedlander, M.K. Donovan, and E. Sala.. Largest global shark biomass found in the northern Galápagos Islands of Darwin and Wolf. *PeerJ.* 4 (2016): e1911.

Whittaker, R.J., and J.M. Fernández-Palacios. *Island Biogeography: Ecology, Evolution and Conservation.* 2nd ed. New York: Oxford University Press, 2007.

Mittermeier *et al.* eds. *Hotspots Revisited.* Mexico City: CEMEX, 2004.

Caribbean Islands • Islas del Caribe

Hemphill, A.H., J.D. Murdoch, R.A. Mittermeier, W.R. Konstant, J.O. Ottenwalder, T.S.B. Akre, C.G. Mittermeier, and R.B. Mast. "Caribbean." In *Hotspots*, eds. R.A. Mittermeier *et al.* Mexico City: CEMEX, 1999, 108–121.

Miloslavich, P. *et al.* "Marine biodiversity in the Caribbean: Regional estimates and distribution patterns." *PLoS One* 5(8) (2010): e11916.

Raffaele, H.A., and J.W. Wiley. *Wildlife of the Caribbean.* Princeton, NJ: Princeton University Press.

Smith, M.L. *et al.* "Caribbean Islands." In *Hotspots Revisited*, eds. R.A. Mittermeier *et al.* Mexico City: CEMEX, 2004, 112–118.

Mediterranean Islands • Islas del Mediterráneo

Critical Ecosystem Partnership Fund (CEPF). *Ecosystem Profile: Mediterranean Basin Biodiversity Hotspot.* Arlington, VA, 2017.

Médail, F. and N. Myers. "Mediterranean Basin." In *Hotspots Revisited*, eds. R.A. Mittermeier *et al.* Mexico City: CEMEX, 2004, 144–147.

Myers, N., and R.M. Cowling. "Mediterranean Basin." In *Hotspots*, eds. R.A. Mittermeier *et al.* Mexico City: CEMEX, 1999, 254–265.

Atlantic Ocean Islands • Islas del Océano Atlántico

Cronin, D.T. *et al.* "Conservation strategies for understanding and combating the primate bushmeat trade on Bioko Island, Equatorial Guinea." *Am. J. Primatol.* 79 (2017): e22663.

Dias, M.P. *et al.* "Using globally threatened pelagic birds to identify priority sites for marine conservation in the South Atlantic Ocean." *Biol. Conserv.* 211 (2017): 76–84.

Hammick, A., and H. Keatinge. *Atlantic Islands.* 6th ed. St Ives, UK: Imray, Laurie, Norie and Wilson, 2016.

Hilton, G.M., and R. Cuthbert. "The catastrophic impact of invasive mammalian predators on birds of the UK Overseas Territories: a review and synthesis." *Ibis* 152 (2010): 443–458.

Southern Ocean Islands • Islas del Océano Glacial Antártico

Shirihai, H. *A Complete Guide to Antarctic Wildlife: The Birds and Marine Mammals of the Antarctic Continent and the Southern Ocean.* 2nd ed. London: A&C Black, 2007.

Gillespie, R.G., and D.A. Clague, eds. *Encyclopedia of Islands.* Berkeley, CA: University of California Press, 2009.

Poncet, S., and K. Crosbie. *A Visitors Guide to South Georgia.* 2nd edit. Princeton, NJ: Princeton University Press, 2012.

Terauds, A., and F. Stewart. *Subarctic Wilderness: Macquarie Island.* Sydney, Australia: Allen and Unwin, 2009.

Peat, N. *Subantarctic New Zealand: A Rare Heritage.* Department of Conservation, Te Papa Atawhai, 2006.

Arctic Islands • Islas Árticas

Arctic Climate Impact Assessment (ACIA). *Scientific Report.* Cambridge: Cambridge University Press, 2005

Arctic Monitoring and Assessment Programme (AMAP). *Update on Selected Climate Issues of Concern. Observations, Short-lived Climate Forces, Arctic Carbon Cycle, and Predictive Capability.* Oslo: Arctic Monitoring and Assessment Programme, 2009.

Conservation of Arctic Flora and Fauna (CAFF). *The Arctic Biodiversity Assessment, Work Plan and Financial strategy.* Akureyri, Iceland: Conservation of Arctic Flora and Fauna Secretariat, 2007.

Jonasson, S., T.V. Callaghan, G.R. Shaver, and L.A. Nielsen. "Arctic Terrestrial ecosystems and ecosystem function". In *The Arctic: Environment, People, and Policy*, eds. M. Nuttall and T.V. Callaghan. Newark: Harwood Academic, 2000, 275–313.

United Nations Environment Program (UNEP)/Arctic Monitoring and Assessment Programme (AMAP). *Climate Change and POPs: Predicting the Impacts.* UNEP/AMAP Expert Group. Geneva: Secretariat of the Stockholm Convention, 2011.

Authors • Autores

Thomas Brooks, PhD, is Chief Scientist at IUCN. His responsibilities include scientific support in delivery of knowledge products such as the IUCN Red List of Threatened Species, interacting with peer scientific institutions, and strengthening the Union's culture of science. His background is in threatened species conservation (especially birds) and biodiversity hotspots (extensive field experience in Asian, South American and Africa tropical forests). He has authored 250 scientific and popular articles.

Nicholas D. Holmes, PhD, is the Director of Science at Island Conservation, a biodiversity conservation NGO. An expert on seabirds, his fieldwork ranges from subantarctic to tropical islands, from penguins to petrels. He is an author on 50+ scientific papers, a member of the IUCN Invasive Species Specialist Group, an Associate Editor for the journal *Biological Invasions*, and an affiliate for the Institute for Marine Studies at the University of California at Santa Cruz.

Olivier Langrand, MSc, Executive Director of the Critical Ecosystem Partnership Fund (CEPF) dedicated to the conservation of biodiversity hotspots. Olivier was previously Director of Global Affairs at Island Conservation, worked 11 years with Conservation International in South Africa and Washington as Senior Vice-President for Africa and Madagascar and Executive Vice-President for policy and public funding, and spent 17 years with WWF-International in Madagascar and Gabon. An avid birder, he has travelled to 145 countries..

Federico Méndez-Sánchez, MSc, is Executive Director of Grupo de Ecología y Conservación de Islas (GECI), a Mexican NGO devoted to the conservation and restoration of Mexican islands. He is an Oceanographer (Universidad Autónoma de Baja California) with an MSc in Environmental Management (University of Auckland, New Zealand), and 15 years of experience in island restoration and natural resources management. He is doing his PhD at the Centro de Investigaciones Biológicas del Noroeste (CIBNOR).

Thomas Brooks, Dr., es Científico en Jefe de la IUCN. Sus responsabilidades incluyen el apoyo científico a la generación de productos de conocimiento como la Lista Roja de Especies Amenazadas de la IUCN; el intercambio con instituciones científicas homólogas, y el fortalecimiento de la cultura científica de la Unión. Su formación está orientada a la conservación de especies amenazadas (en particular aves) y en hotspots de biodiversidad (cuenta con una vasta experiencia en bosques tropicales de Asia, Sudamérica y de África). Es autor de 250 artículos científicos y de divulgación.

Nicholas D. Holmes, Dr., es Director de Ciencia de Conservación de Islas, una ONG de conservación de la biodiversidad. Experto en aves marinas, su trabajo de campo abarca desde las islas sub-antárticas a las tropicales; de pingüinos a petreles. Es autor de más de 50 artículos científicos y miembro del Grupo de Especialistas en Especies Invasoras de la UICN, además de Editor Asociado de la revista *Biological Invasions* y está afiliado al Instituto de Estudios Marinos de la Universidad de Santa Cruz, en California.

Olivier Langrand, M. en C., es Director Ejecutivo del Critical Ecosystem Partnership Fund (CEPF), especializado en conservación de los hotspots de biodiversidad. Tuvo a su cargo la oficina de Asuntos Internacionales de Island Conservation. En Sudáfrica y Washington se desempeñó durante 11 años como Vice-presidente Senior de Conservation International para África y Madagascar, y Vice-presidente Ejecutivo de políticas y financiamiento público. Cursó 17 años en WWF-International en Madagascar y Gabón. Es un apasionado observador de pájaros, ha recorrido 145 países.

Federico Méndez Sánchez, M. en C., es Director General del Grupo de Ecología y Conservación de Islas, A.C. (GECI), una organización de la sociedad civil dedicada a la conservación y restauración de las islas de México. Es Oceanólogo por la Universidad Autónoma de Baja California, con Maestría en Ciencias en Gestión Ambiental por la Universidad de Auckland, Nueva Zelanda. Actualmente cursa el Doctorado en el Centro de Investigaciones Biológicas del Noroeste, S.C. (CIBNOR). Tiene 15 años de experiencia tanto en restauración insular como en manejo de recursos naturales.

Russell A. Mittermeier, PhD, is Chief Conservation Officer of Global Wildlife Conservation. A longtime member of the IUCN SSC Steering Committee, he serves as Chair of SSC's Primate Specialist Group. An expert on primates, reptiles, and tropical forest biodiversity, Mittermeier has travelled to 170 countries including many island nations, and carried out fieldwork in more than 30, with a strong focus on Brazil, the Guianas, and Madagascar.

James C. Russell, PhD, is Associate Professor at the University of Auckland, New Zealand. He has worked around the world undertaking scientific studies which inform island conservation and was awarded the 2012 New Zealand emerging scientist prize. He is a member of the IUCN SSC Invasive Species Specialist Group, Associate Editor of the journal *Biological Invasions*, and advisor to numerous governments and NGOs, including Predator Free New Zealand.

Anthony B. Rylands, PhD (Cantab.), is Primate Conservation Director at Global Wildlife Conservation. His career began at the National Institute for Amazon Research, Manaus (1976-1986). He then moved to the Federal University of Minas Gerais, Brazil (1986–2003), and in 2000 joined Conservation International. He is a member of the Brazilian Academy of Sciences and Deputy Chair of the IUCN SSC Primate Specialist Group.

Wes Sechrest, PhD, is the founder, Chief Scientist and CEO of Global Wildlife Conservation, leading the organization's efforts to explore and protect threatened species and habitats. He is on the Board of Directors of Bat Conservation International, the Global Council of the Amphibian Survival Alliance, and the Board of Trustees of the Haiti National Trust. He is Adjunct Faculty in the Department of Wildlife and Fisheries Sciences at Texas A&M University.

Dena R. Spatz, PhD, is a Conservation Biologist at Island Conservation. She manages research and global knowledge products such as the Threatened Island Biodiversity Database and collaborates with partners around the world to inform conservation decision making. She is broadly interested in translating science into conservation action, particularly in the coastal marine environment, which takes her to islands around the world from California to South America.

Russell A. Mittermeier, Dr., actualmente Jefe de Conservación de Global Wildlife Conservation. Por largo tiempo miembro del Comité Directivo de la IUCN SSC, en donde ha prestado sus servicios como Director del Grupo de Especialistas en Primates de la SSC. Experto en primates, reptiles y biodiversidad forestal tropical. Ha recorrido 170 países, incluyendo numerosas naciones y territorios insulares llevando a cabo trabajo de campo en más de 30, particularmente en Brasil, las Guayanas y Madagascar.

James C. Russell, Dr., es Profesor Asociado de la Universidad de Auckland, en Nueva Zelanda. Ha trabajado en todo el mundo llevando a cabo estudios científicos que informan sobre la conservación de las islas. Recibió el Premio Neozelandés al Científico Emergente y es miembro del Grupo de Especialistas en *Especies Invasivas* de la IUCN SSC. Es editor de la revista Biological Invasions y asesor de muchos gobiernos y ONGs, incluyendo la organización Predator Free New Zealand.

Anthony B. Rylands, Dr., es Director de Conservación de Primates de Global Wildlife Conservation. Inició su carrera en el Instituto Nacional de Investigación de la Amazonía (INPA), en Manaos (1976–1986), en donde se desempeñó como profesor de la Universidad Federal de Minas Gerais, Brasil (1986–2003). En 2000 ingresó a Conservation International y es miembro de la Academia de Ciencias de Brasil y Vicepresidente del Grupo de Especialistas en Primates de la IUCN SSC.

Wes Sechrest, Dr., fundador, Científico en Jefe y CEO de Global Wildlife Conservation, encabeza los esfuerzos de la organización para sondear y proteger las especies amenazadas del mundo y sus hábitats. Pertenece al Consejo Directivo de Bat Conservation International; al Global Council of the Amphibian Survival Alliance, y al Consejo de Administración del Haïti National Trust. Es Profesor adjunto del Departamento de Vida Salvaje y Pesquerías de Texas A&M University.

Dena R. Spatz, Dra., es Bióloga Conservacionista del Departamento Científico de Island Conservation. Es gestora de investigación y de productos de conocimiento global como la Threatened Island Biodiversity Database. Colabora con sus pares alrededor del mundo participándoles sobre la toma de decisiones de conservación. Su interés se concentra en el encausamiento de las ciencias en acciones de conservación, particularmente en los entornos marinos costeros, lo que la ha llevado a muchas islas alrededor del mundo, desde California hasta Sudamérica.

Contributing Authors • Autores Colaboradores

Bruce M. Beehler
Division of Birds, Smithsonian Institution, Washington, DC, USA

Fabrice Bernard
Délégué Europe & International, Conservatoire du littoral, Aix en Provence, France

Pierre Carret
Critical Ecosystem Partnership Fund, Arlington, Virginia, USA

Don Church
Global Wildlife Conservation, Austin, Texas, USA

Jenny C. Daltry
Fauna and Flora International, Cambridge, UK

Scott Henderson
Conservation International, Galápagos Islands, Ecuador

Nina R. Ingle
Ingle Trust Foundation of Davao, Inc., Davao, Mindanao, Philippines

Barney Long
Global Wildlife Conservation, Washington, DC, USA

Cristina G. Mittermeier
SeaLegacy, Qualicum Beach, British Columbia, Canada

Paul Nicklen
SeaLegacy, Qualicum Beach, British Columbia, Canada

Steffen Oppel
RSPB Centre for Conservation Science, Cambridge, UK

Michael J. Parr
American Bird Conservancy. The Plains, Virginia, USA

Daniel Simberloff
Ecology & Evolutionary Biology, College of Arts and Sciences, The University of Tennessee, Knoxville, Tennessee, USA

Bernie Tershy
Institute of Marine Sciences, University of California at Santa Cruz, Santa Cruz, California, USA

Claudio Uribe
Island Conservation, Santa Cruz, California, USA

Sheila Vergara
ASEAN Center for Biodiversity, Los Baños, Laguna, Philippines

---

Tarsius supriatnai
Tarsier • Tarsero
Nantu, Gorontalo Province, Sulawesi, Indonesia •
Nantu, Provincia de Gorontalo, Sulawesi, Indonesia

RUSSELL A. MITTERMEIER

Islands

By Nicholas D. Holmes, Olivier Langrand, Russell A. Mittermeier,
Anthony B. Rylands, Thomas Brooks, Dena R. Spatz, James C. Russell,
Wes Sechrest, and Federico Méndez-Sánchez.

Published by Earth in Focus, Inc.
200 First Ave W, #101
Qualicum Beach, British Columbia
Canada V9K 2J3

ISBN: 978-0-9947872-3-1

Series editor: Cristina Mittermeier
Book design: Judith Mazari
Text editor: Cynthia Haynes
Spanish translator and copy editor: Francisco Malagamba
Photo research and digital photography editor: Pablo Esteva

PRINTED IN CHINA THROUGH GLOBALINKPRINTING.COM

cemexnature.com
twitter.com/CEMEXNature
facebook.com/CEMEXNature
instagram.com/CEMEXNature

Anolis carolinensis
Anole • Anole
Galápagos Islands • Islas Galápagos

CLAUDIO CONTRERAS KOOB

Front Cover: • *Portada:*
Penemu Island, Raja Ampat, Indonesia •
Isla Penemu, Raja Ampat, Indonesia

PETE OXFORD

Islas

Por Nicholas D. Holmes, Olivier Langrand, Russell A. Mittermeier,
Anthony B. Rylands, Thomas Brooks, Dena R. Spatz, James C. Russell,
Wes Sechrest y Federico Méndez Sánchez.

Publicado por Earth in Focus, Inc.
200 First Ave W, #101
Qualicum Beach, British Columbia
Canada V9K 2J3

ISBN: 978-0-9947872-3-1

Editor de serie: Cristina Mittermeier
Diseño del libro: Judith Mazari
Editora de texto: Cynthia Haynes
Traductor y editor de texto de la versión en español: Francisco Malagamba
Selección de fotos y editor de imágenes digitales: Pablo Esteva

IMPRESO EN CHINA A TRAVÉS DE GLOBALINKPRINTING.COM

FSC
www.fsc.org
MIX
Paper from
responsible sources
FSC® C001701

Printed on FSC® certified paper
Impreso en papel certificado FSC®

Thalassarche melanophris
Black-browed Albatross • Albatros de Ceja Negra
Falkland Islands, British Overseas Territory •
Islas Malvinas, Territorio Británico de Ultramar

CRISTINA MITTERMEIER / NATIONAL GEOGRAPHIC CREATIVE